Fra il 1931 e il 1972 Georges Simenon (Liegi 1903-Losanna 1989) ha pubblicato 75 romanzi e 28 racconti dedicati alle inchieste di Maigret.

Il 1966 è un anno cruciale per Simenon: è quello in cui, per l'ultima volta, Denyse cerca di riconciliarsi con il marito, di riconquistare la sua fiducia, il suo sostegno, il suo amore. «Fin dai tempi di New York» scriverà lui nelle *Memorie intime* «volevo guarirla. Guarirla da se stessa. Guarirla dal bisogno, che risaliva alla sua gioventù, di essere diversa da com'era. Guarirla da quell'esigenza di brillare che ... vedevo trasformarsi a poco a poco in esigenza di dominare». Ma ormai Simenon ha gettato la spugna; i medici, del resto, sono stati categorici: far tornare Denyse a casa sarebbe come decidere di suicidarsi. Scritto proprio nel 1966 a Épalinges (Vaud), *Maigret et l'affaire Nahour* uscirà a stampa l'anno seguente.

Presso Adelphi sono in corso di pubblicazione tutte le opere di Simenon.

Georges Simenon

Maigret
e il caso Nahour

TRADUZIONE DI ANNAMARIA CARENZI VAILLY

ADELPHI EDIZIONI

TITOLO ORIGINALE:
Maigret et l'affaire Nahour

Le inchieste del commissario Maigret
escono a cura di Ena Marchi e Giorgio Pinotti

Prima edizione: febbraio 2010
Quinta edizione: aprile 2012

MAIGRET E IL CASO NAHOUR

Lottava, cercando di respingere qualcuno che lo aveva agguantato per la spalla a tradimento. Tentò anche di sferrare un pugno, con la sensazione umiliante che il braccio si rifiutasse di obbedire e rimanesse moscio, come anchilosato.

«Chi è?» urlò, ed ebbe la vaga impressione che la domanda non fosse del tutto appropriata.

Ma riuscì davvero a emettere un suono?

«Jules!... Il telefono...».

In effetti aveva sentito un rumore che, nel sonno, gli era parso minaccioso, ma non aveva minimamente pensato che fosse lo squillo del telefono, né si era reso conto di trovarsi nel suo letto, in preda a un brutto sogno di cui già non si ricordava più, e che sua moglie lo stava scuotendo.

Tese istintivamente la mano per afferrare la cornetta e nel contempo aprì gli occhi e si drizzò a sedere. Anche la signora Maigret era seduta nel letto caldo, e l'abat-jour dal suo lato spandeva una luce intima e soffusa.

«Pronto!...».

Poi di nuovo, come nel sogno: «Chi è?».

«Maigret?... Sono Pardon...».

Il commissario sbirciò la sveglia sul comodino della moglie e riuscì a leggere l'ora: l'una e mezzo. Avevano lasciato i Pardon poco più tardi delle undici, dopo la consueta cena mensile: questa volta c'era spalla di montone ripiena – una delizia.

«Sì... Dica pure...».

«Mi perdoni se la sveglio così, nel primo sonno... Qui da me è accaduto un fatto che ritengo piuttosto grave, ed è una faccenda di sua competenza...».

I Maigret e i Pardon erano amici da ormai più di dieci anni e si invitavano reciprocamente a cena una volta al mese, eppure ai due uomini non era mai passato per la mente di darsi del tu.

«La ascolto, Pardon... Vada avanti...».

La voce all'altro capo del filo era turbata e piena d'imbarazzo.

«Penso che sarebbe meglio se venisse qui... Capirebbe meglio la situazione...».

«Non c'è stato un incidente, spero...».

Pardon ebbe un attimo di esitazione.

«No, non esattamente. Ma sono preoccupato...».

«Sua moglie sta bene?...».

«Sì... Ci sta preparando il caffè...».

La signora Maigret cercava di intuire qualcosa dalle risposte del marito, e lo scrutava con aria interrogativa.

«Vengo subito...».

Riagganciò. Ormai era completamente sveglio, ma aveva un'espressione ansiosa. Era la prima volta che riceveva una telefonata del genere dal dottor Pardon e, conoscendolo, doveva trattarsi di qualcosa di serio.

«Cos'è successo?».

«Non lo so... Pardon ha bisogno di me...».

«E perché non è venuto qui?».

«A quanto pare è meglio che vada io da lui...».

«E dire che stasera era tutto allegro... Anche sua moglie... Abbiamo parlato della figlia e del genero, della crociera alle Baleari che hanno in programma di fare l'estate prossima...».

Ma Maigret quasi non ascoltava. Era occupato a vestirsi, con aria pensierosa, e non poteva evitare di arrovellarsi sul motivo di quella telefonata.

«Ti faccio un caffè...».

«Lascia stare... Ci sta già pensando la signora Pardon...».

«Ti chiamo un taxi?».

«Con questo tempo non lo trovi, e in ogni caso ci metterebbe mezz'ora ad arrivare...».

Era il 14 gennaio, un venerdì, e per tutto il giorno a Parigi la temperatura era rimasta bloccata a 12 gradi sottozero. La neve, caduta in abbondanza nei giorni precedenti, si era indurita al punto che non era stato possibile rimuoverla e, nonostante il sale sparso sui marciapiedi, rimanevano spesse lastre di ghiaccio su cui i passanti scivolavano finendo gambe all'aria.

«Mettiti la sciarpa pesante...».

Una grossa sciarpa di lana lavorata ai ferri che gli aveva fatto lei e che Maigret non aveva quasi mai occasione di portare.

«Non scordarti gli stivali di gomma... Non vuoi che venga con te?».

«E a far che?».

A lei non piaceva l'idea di lasciarlo uscire da solo, quella notte. Mentre rincasavano dopo la cena dai Pardon, sebbene camminassero entrambi con molta cautela, prestando attenzione a dove mettevano i piedi, all'angolo con rue du Chemin-Vert Maigret aveva fatto un bel capitombolo ed era rimasto seduto a terra per un pezzo, confuso e imbarazzato.

«Ti sei fatto male?».

«No... È che non me l'aspettavo...».

Aveva rifiutato il suo aiuto per alzarsi, poi non aveva voluto appoggiarsi al suo braccio.

«È inutile che cadiamo tutti e due...».

La moglie lo seguì fino all'ingresso e, dandogli un bacio, sussurrò:

«Sii prudente...».

E non chiuse la porta finché il marito non ebbe raggiunto il pianterreno. Maigret preferì evitare rue du Chemin-Vert, dove era scivolato poco prima, a costo di allungare un po' la strada seguendo boulevard Richard-Lenoir fino a boulevard Voltaire, dove abitavano i Pardon.

Camminava piano, e nella via risuonavano solo i suoi passi. Non si vedevano taxi, né tanto meno auto. Parigi sembrava deserta, e in vita sua Maigret ricordava di averla vista così, paralizzata dal gelo, un paio di volte al massimo.

Poi, però, in boulevard Voltaire, verso place de la République, scorse un camion con il motore al minimo e delle sagome nere che si davano da fare: alcuni uomini stavano spargendo il sale sulla carreggiata a grandi colpi di pala.

Dai Pardon c'erano due finestre illuminate, le uniche fra tutte quelle che si affacciavano sulla strada. Maigret intravide un'ombra dietro le tende e, giunto davanti al portone, non ebbe neanche il tempo di suonare che gli venne aperto.

«Le chiedo nuovamente scusa, Maigret...».

Il dottor Pardon indossava ancora il gilet blu che portava a cena.

«Mi sono cacciato in una situazione così delicata che non so come uscirne...».

In ascensore il commissario notò che l'amico aveva il viso tirato.

«Non è andato a letto?».

E il medico, imbarazzato:

«Quando voi siete usciti, visto che non avevo sonno, ne ho approfittato per mettermi in pari con le mie cartelle...».

In altre parole, benché avesse del lavoro arretrato, non aveva voluto rimandare la loro cena abituale.

Neanche a farlo apposta, i Maigret si erano trattenuti più a lungo del solito. In realtà avevano parlato soprattutto di vacanze, e Pardon aveva osservato che i suoi pazienti tornavano a casa sempre più stanchi, specialmente dai viaggi di gruppo.

Attraversarono la sala d'aspetto, rischiarata solo da una piccola lampada e, anziché passare nel salotto, entrarono nello studio.

Nello stesso istante arrivò la signora Pardon con un vassoio, due tazzine, la caffettiera e lo zucchero.

«Mi perdoni se mi presento così... Non sono stata a rivestirmi... Tanto me ne vado subito: è mio marito che ha bisogno di parlarle...».

Sopra la camicia da notte si era infilata una vestaglia celeste, e aveva i piedi nudi nelle pantofole.

«Lui non voleva disturbarla... Sono stata io a insistere, e se ho fatto male le chiedo scusa...».

Versò il caffè e si riavviò verso la porta.

«Se avete bisogno di qualcosa chiamatemi pure, tanto non mi riaddormenterò prima che abbiate finito... Se dovesse aver fame, Maigret...».

«Ho cenato troppo bene per aver già appetito...».

«Nemmeno tu?».

«No, grazie...».

La porta dello stanzino in cui il medico esaminava i pazienti era aperta. Al centro c'era un alto lettino reclinabile coperto da un lenzuolo macchiato di sangue, e Maigret notò grandi chiazze di sangue anche sul pavimento di linoleum verde.

«Si accomodi... E beva prima il suo caffè...».

Poi, indicando sulla scrivania una pila di documenti e cartelle:

«Guardi un po' qua... La gente non si rende conto che, oltre alle visite in studio e a domicilio, noi medici dobbiamo anche occuparci della burocrazia... E, visto che siamo interrotti di continuo dalle urgenze, rimandiamo sempre, finché un bel giorno ci ritroviamo sommersi... Contavo di dedicare due o tre ore a questa incombenza...».

Pardon cominciava il suo giro di visite alle otto del mattino, e dalle dieci in poi riceveva i malati in studio. Il quartiere attorno a rue Picpus non era una zona ricca, ci abitava gente modesta, e nella sua sala d'aspetto capitava di trovare anche quindici persone alla volta. Quasi sempre, durante le loro cene mensili, a un certo punto arrivava una chiamata, e Pardon era costretto ad assentarsi per un'ora o anche di più.

«Ero immerso nelle mie scartoffie... Mia moglie dormiva... Tutto a un tratto, nel silenzio totale, è suonato il campanello... Ho avuto un sussulto, poi sono andato ad aprire, e sul pianerottolo c'era una coppia che mi ha fatto una strana impressione...».

«Perché?».

«Prima di tutto perché non conoscevo né lui né lei, mentre di solito quelli che mi disturbano in piena notte sono miei pazienti, e viene qui solo chi non ha il telefono...».

«Capisco...».

«Poi mi è sembrato che non fossero del quartiere. La donna portava un cappotto di lontra, e in testa un cappello della stessa pelliccia... Guardi, per

14

caso, due giorni fa mia moglie, sfogliando una rivista di moda, a un certo punto mi ha detto:

«"Quando mi regalerai una pelliccia, non sceglierla di visone: prendila di lontra... Il visone è diventato comune, la lontra invece...".

«Non sono stato a sentire il seguito, ma la cosa mi è tornata in mente mentre tenevo la porta aperta e osservavo quei due con un certo stupore.

«Neanche l'uomo era vestito come la gente di boulevard Voltaire.

«È stato lui a chiedere, con un lieve accento straniero:

«"Il dottor Pardon?".

«"Sono io".

«"Questa donna è appena stata ferita e vorrei che la visitasse".

«"Chi le ha dato il mio indirizzo?".

«"Una signora anziana che passava per boulevard Voltaire... Una sua paziente, suppongo...".

«Sono entrati nello studio. Lei era pallidissima e sembrava sul punto di svenire: mi guardava con occhi spalancati, inespressivi, e si stringeva le mani sul petto.

«"Non c'è tempo da perdere, dottore..." ha detto l'uomo sfilandosi i guanti.

«"Di che tipo di ferita si tratta?".

«Lui si è rivolto alla donna, una creatura biondissima che doveva avere poco meno di trent'anni.

«"Sarà meglio che si tolga il cappotto...".

«Lei si è sfilata la pelliccia senza dire una parola, e a quel punto ho visto che sulla schiena il vestito giallo paglierino era impregnato di sangue fino alla cintura.

«Guardi, c'è una macchia di sangue sul tappeto vicino alla mia scrivania, nel punto in cui si trovava.

Sembrava che stesse per crollare da un momento all'altro.

«L'ho fatta entrare nello stanzino delle visite e le ho chiesto di togliersi l'abito, offrendomi di aiutarla. Lei ha scosso la testa e si è svestita da sola, sempre senza aprir bocca.

«L'uomo è rimasto nello studio, ma la porta fra le due stanze era aperta e lui continuava a parlarmi, o meglio, continuava a rispondere alle mie domande. Nel frattempo io mi ero infilato il camice e mi lavavo le mani. La donna si era stesa bocconi e rimaneva immobile, senza un lamento».

«Che ore erano?» chiese Maigret dopo essersi acceso la pipa, la prima dal momento della telefonata.

«Quando hanno suonato alla porta ho dato un'occhiata all'orologio. Segnava l'una e dieci. È successo tutto nel giro di pochissimo: ci sto mettendo molto di più a raccontarglielo.

«In realtà mi sono reso conto della situazione solo quando ormai ero intento a pulire la ferita e ad arrestare l'emorragia. A prima vista la lesione non sembrava eccessivamente grave: una piaga di circa otto centimetri, sul lato destro della schiena, che sanguinava ancora.

«Mentre mi davo da fare ho chiesto all'uomo, anche se dallo stanzino non lo vedevo:

«"Mi racconti cos'è accaduto...".

«"Stavo camminando in boulevard Voltaire, a un centinaio di metri da qui, e la signora camminava sullo stesso marciapiede, davanti a me...".

«"Non mi dirà che è scivolata?".

«"No... Il fatto che fosse da sola per strada a quest'ora mi è parso strano, e ho rallentato il passo per non darle l'impressione che la volessi abbordare... È stato allora che ho sentito il motore di un'auto...".

Pardon s'interruppe per finire la sua tazza di caffè e versarsene un'altra.

«Ancora un po'?».

«Volentieri...».

Maigret era ancora assonnato, gli bruciavano gli occhi e aveva la sensazione di covare un raffreddore. Dieci dei suoi ispettori erano a letto con l'influenza, il che negli ultimi giorni non gli aveva facilitato il lavoro.

«Sto cercando di ripeterle la conversazione il più fedelmente possibile, ma non le garantisco ogni singola parola... Mi sono accorto che, fra la terza e la quarta costola, la ferita diventava più profonda e, mentre la disinfettavo, è caduto per terra qualcosa senza che sul momento ci facessi caso».

«Una pallottola?».

«Aspetti... Dallo studio l'uomo continuava:

«"Quando è arrivata all'altezza della signora, la macchina, che già andava piano, ha rallentato ulteriormente. Ho visto un braccio sporgersi dal finestrino..."».

Maigret lo interruppe:

«Il finestrino davanti o quello dietro?».

«Non me l'ha detto, e non mi è venuto in mente di chiederglielo... Non dimentichi che stavo eseguendo un vero e proprio intervento chirurgico... Mi capita di tanto in tanto, nei casi di emergenza, ma non è la mia specializzazione, e tutta la situazione mi sembrava strana... Quel che più mi colpiva era l'assoluto mutismo della paziente...

«Intanto l'uomo proseguiva:

«"Ho udito uno sparo e ho visto la signora che vacillava e cercava di appoggiarsi al muro di un palazzo. Poi ha piegato le ginocchia e si è accasciata lentamente sulla neve...

«"L'auto era già ripartita e aveva svoltato a destra in una via che non conosco...

«"Mi sono precipitato verso la donna e mi sono reso conto che era ancora viva... Si è rimessa in piedi da sola, aggrappandosi a me...

«"Le ho chiesto se era ferita e mi ha fatto segno di sì".

«"Le ha parlato?".

«"No... Non sapevo cosa fare... Mi sono guardato attorno per cercare aiuto... Ho visto passare una signora anziana e le ho domandato se sapeva dove trovare un medico... Lei mi ha indicato questo palazzo e mi ha dato il suo nome..."».

Pardon tacque e guardò Maigret con l'aria di un bambino che l'ha combinata grossa.

E il commissario:

«Non gli è venuto in mente di portarla all'ospedale?».

«È quello che ho detto anch'io, facendogli notare che siamo a due passi dall'Hôpital Saint-Antoine. "Non lo sapevo" ha farfugliato lui».

«E non sapeva nemmeno che il principale commissariato di zona è a cento metri da qui?».

«Immagino di no... Ero a disagio... Lo so, non ero autorizzato a curare una ferita d'arma da fuoco senza avvertire immediatamente la polizia... D'altra parte avevo già cominciato l'intervento... Allora ci ho tenuto a precisare:

«"Io le sto solo prestando le prime cure. Appena ho finito, chiamo un'ambulanza...".

«Ho applicato una fasciatura provvisoria.

«"Non è il caso che rimetta i suoi vestiti macchiati di sangue: le presto io un accappatoio...".

«Lei ha fatto cenno di no, dopodiché si è rimessa da sola la sottoveste e l'abito, e ha raggiunto nello studio l'uomo che l'aveva accompagnata.

«Ho detto:

«"Accomodatevi pure... Sono subito da voi...".

«Volevo togliermi i guanti di gomma e il camice sporco, e richiudere i flaconi che avevo usato. Intanto continuavo a parlare.

«"Avrò bisogno di nome e indirizzo di entrambi... Se preferite una clinica privata anziché un ospedale, ditemelo e farò il necessario..."».

Maigret aveva già capito.

«Quanto tempo è rimasto di là?».

«Non saprei... Ricordo di aver raccolto la pallottola caduta per terra durante l'intervento e di aver buttato nel cestino il cotone e le pezze sporche... Forse un paio di minuti... Mentre parlavo mi sono avvicinato alla porta e mi sono accorto che lo studio era vuoto...

«Mi sono precipitato prima in anticamera, poi sul pianerottolo, ma non ho sentito né il rumore dell'ascensore, né quello dei passi sulle scale. Allora sono ritornato nello studio e ho guardato dalla finestra, ma non riuscivo a vedere il marciapiede davanti al palazzo.

«È stato a quel punto che ho sentito chiaramente un'auto che si metteva in moto... Dal rombo del motore giurerei che si trattava di una macchina potente, di quelle sportive... Il tempo di aprire la finestra e in boulevard Voltaire non c'era più anima viva, tranne un camion del sale verso place de la République e un passante solitario nella direzione opposta, parecchio lontano...».

A eccezione dei suoi più stretti collaboratori, come Lucas, Janvier, Torrence e, più di recente, il giovane Lapointe, per i quali provava autentico affetto,

Maigret considerava il dottor Pardon il suo unico amico.

I due uomini erano praticamente coetanei e, avendo entrambi quotidianamente a che fare con i mali dell'uomo e della società, avevano punti di vista abbastanza simili.

Durante i dopocena in boulevard Richard-Lenoir e boulevard Voltaire, erano capaci di andare avanti a parlare per ore perdendo quasi la nozione del tempo – e le esperienze che evocavano erano pressoché identiche.

D'altronde, se non riuscivano a darsi del tu, era forse per via del rispetto che si ispiravano reciprocamente... Quella notte, nella calma e nel silenzio dello studio di Pardon, non erano rilassati come poche ore prima, probabilmente perché per la prima volta il caso li metteva l'uno di fronte all'altro sul piano professionale.

Il dottore, intimidito, parlava più in fretta del solito e si percepiva in lui l'ansia di dimostrare la propria buona fede, come se si trovasse davanti al Consiglio dell'Ordine. E Maigret si tratteneva dal fare troppe domande, scegliendo, non senza una certa esitazione, soltanto quelle che riteneva indispensabili.

«Senta, Pardon, lei ha detto fin dall'inizio che l'uomo e la donna non sembravano due del quartiere».

Il dottore provò a spiegarsi.

«I miei pazienti sono perlopiù commercianti, artigiani, gente semplice. Non sono un medico dell'alta società, né uno specialista: sono uno che venti volte al giorno si fa cinque o sei piani di scale a piedi tirandosi dietro la borsa. Su questo boulevard ci sono anche dei palazzi signorili, alcuni perfino lussuosi, ma non mi è mai capitato di incontrare per strada gente come quei due...

«La donna, anche se non ha aperto bocca, mi ha

dato l'impressione di essere straniera... Ha i tratti tipici da nordica, la carnagione chiarissima e i capelli di un biondo che si vede di rado a Parigi, a meno che non sia artificiale, e non è il suo caso... Dall'aspetto del seno, sono propenso a credere che abbia avuto dei figli e che li abbia allattati...».

«Segni particolari?».

«Nessuno... Anzi, sì... Una cicatrice lunga circa due centimetri che va dall'occhio sinistro verso l'orecchio... Ci ho fatto caso perché potrebbe anche sembrare una zampa di gallina ma, in un viso così giovane, dà un tocco di fascino...».

«Crede che tacesse di proposito?».

«Ci giurerei... Così come, vedendoli sul pianerottolo e poi nel mio studio, avrei giurato che quei due si conoscessero, e perfino che si conoscessero intimamente. Le sembrerà una sciocchezza forse, ma secondo me i veri innamorati emanano una sorta di aura e, anche quando non si guardano e non si toccano, si sente il legame che li unisce...».

«Mi parli dell'uomo».

«L'ho visto di meno, e sempre con indosso il cappotto, che era di un tessuto dall'aspetto morbidissimo...».

«Portava il cappello?».

«No, era a capo scoperto. Capelli neri, lineamenti raffinati, carnagione olivastra e occhi un po' più scuri del comune nocciola... Avrà tra i venticinque e i ventisei anni, e a giudicare dal modo di esprimersi, dai gesti e dall'abbigliamento, direi che proviene da un ambiente facoltoso... Un bel ragazzo, dall'aspetto dolce, un po' malinconico... Probabilmente spagnolo o sudamericano...

«Adesso mi dica lei cosa devo fare... Visto che non so come si chiamano, non posso compilare la cartella medica... Certo, tutto farebbe pensare a un tentativo di omicidio...».

«Ha creduto alla versione di quell'uomo?».

«Sul momento non ho riflettuto... Solo quando ho trovato lo studio vuoto, e poi mentre aspettavo lei, la sua spiegazione mi è parsa strana...».

Maigret esaminava la pallottola con attenzione.

«Sparata con ogni probabilità da una calibro 6,35... Un'arma realmente pericolosa soltanto a breve distanza, e che manca di precisione...».

«Il che spiega la ferita... La pallottola ha raggiunto la schiena di sbieco, scalfendo qualche centimetro di pelle prima di penetrare e andare a conficcarsi tra due costole...».

«Quanto può andare lontano in quelle condizioni?».

«Non sono in grado di pronunciarmi. Mi chiedo se, prima di venire qui, non avesse preso un qualche sedativo: le ferite superficiali sono spesso le più dolorose, e lei non ha battuto ciglio...».

«Senta, Pardon,» borbottò Maigret alzandosi «cercherò di occuparmi di quei due. Domattina mi mandi un rapporto in cui ripete ciò che mi ha appena detto...».

«Avrò delle noie?».

«Lei è tenuto a prestare assistenza a chiunque ne abbia bisogno, no?».

Prima di infilare guanti e cappello si riaccese la pipa.

«La terrò informato...».

Si ritrovò fuori nell'aria gelida e, scrutando la neve ammassata contro le case, percorse un centinaio di metri senza scorgere né macchie di sangue né tracce di caduta. Poi, tornando sui suoi passi, attraversò place Léon-Blum ed entrò nella stazione di polizia situata al pianterreno del palazzo comunale dell'XI arrondissement.

Dietro al bancone sedeva il brigadiere Demarie, che Maigret conosceva da anni.

«Ciao, Demarie...».

Il brigadiere, con il naso dentro un album di fumetti, si stupì nel veder comparire il capo della Omicidi e scattò in piedi imbarazzato.

«Ciao, Louvelle...».

Il sergente Louvelle stava facendo il caffè su un fornello a spirito.

«Dite un po', voi due, avete sentito niente circa un'ora fa?».

«No, signor commissario...».

«Come fosse uno sparo, a un centinaio di metri da qui...».

«No, niente...».

«Tra l'una e l'una e dieci...».

«Da che parte?».

«In boulevard Voltaire, verso place de la République».

«All'una in punto sono usciti due uomini in pattuglia, i sergenti Mathis e Bernier. Hanno imboccato boulevard Voltaire e devono averlo seguito fino a rue Amelot...».

«Dove sono adesso?».

Il brigadiere lanciò un'occhiata all'orologio a muro.

«Dalle parti della Bastille, a meno che non abbiano già svoltato in rue de la Roquette... Saranno qui per le tre... Vuole che cerchi di contattarli?».

«No... Chiamami un taxi... Mi darai un colpo di telefono alla Giudiziaria quando tornano...».

Solo al terzo tentativo trovarono un taxi libero. Poi Maigret chiamò la moglie.

«Non ti preoccupare se non torno prima dell'alba... Sono al commissariato di zona... Sto aspettando un taxi... Macché!... Lui non c'entra niente... Però devo occuparmene stanotte... No, non sono caduto... A dopo...».

Superato il camion del sale che procedeva a passo d'uomo, il taxi non incrociò più di tre macchine prima di giungere al Quai des Orfèvres, dove l'agente di guardia al portone pareva rigido come un pezzo di ghiaccio.

Di sopra Maigret trovò Lucas insieme agli ispettori Jussieu e Lourtie. Le altre stanze sembravano deserte.

«Salve, ragazzi... Adesso, per prima cosa, chiamate tutti gli ospedali e tutte le cliniche private di Parigi... Devo sapere se stanotte, dopo l'una e mezzo, si sono presentate due persone, un uomo e una donna... È anche possibile che la donna, ferita alla schiena, sia arrivata da sola... Ecco i connotati...».

E si sforzò di ripetere le parole esatte di Pardon.

«Cominciate dai quartieri orientali...».

Mentre gli uomini si precipitavano sui telefoni, il commissario entrò nel suo ufficio, accese la luce e si sfilò la grossa sciarpa di lana e il cappotto.

La storia del colpo di pistola sparato da una macchina che costeggiava il marciapiede non gli quadrava. Quelli erano metodi da malviventi di professione e non aveva mai visto uno di loro servirsi di una 6,35. Per di più avevano fatto fuoco una volta sola, cosa piuttosto rara quando l'aggressione avviene da un'auto in corsa.

Come Pardon, era convinto che l'uomo e la donna si conoscessero. Il fatto che si fossero dileguati senza dire una parola, come due complici, approfittando dei pochi minuti trascorsi dal dottore nello stanzino delle visite, non ne era forse la prova?

Tornò dai tre uomini, che nel frattempo erano quasi arrivati alla fine della lista.

«Ancora niente?».

«Niente, capo...».

Telefonò lui stesso al centralino di Pronto Intervento.

«Avete mica ricevuto una chiamata, stanotte verso l'una? Nessuno ha segnalato un colpo d'arma da fuoco?».

«Un attimo... Chiedo ai colleghi...».

E dopo qualche istante:

«Soltanto una rissa e un accoltellamento in un bistrot di porte d'Italie... E richieste di ambulanze per braccia e gambe rotte... Adesso che la maggior parte della gente è tornata a casa le telefonate stanno diminuendo, ma ne arrivano ancora, una ogni dieci minuti più o meno...».

Maigret aveva appena riagganciato che Lucas lo chiamò dall'altra stanza.

«Telefono per lei, capo...».

Era Demarie, dal commissariato dell'XI arrondissement.

«La pattuglia è appena rientrata... Mathis e Bernier non hanno rilevato niente di insolito, a parte qualche caduta per via del ghiaccio... Mathis però ha fatto caso a un'Alfa Romeo rossa parcheggiata davanti al 76 bis di boulevard Voltaire. E ricorda di aver detto al collega:

«"Quella ci vorrebbe per fare la ronda..."».

«Che ore erano?».

«Tra l'una e cinque e l'una e dieci. Mathis ha accarezzato il cofano, senza pensarci, e ha notato che era ancora caldo».

In altre parole, l'uomo e la donna erano appena entrati nel palazzo, dove all'una e dieci avevano suonato alla porta del dottore.

Com'erano venuti a conoscenza dell'indirizzo di Pardon? Mathis era stato interrogato in merito all'anziana passante, e aveva risposto di non averne vista nemmeno una sull'intero viale.

Da dove veniva quella coppia? E perché si era fermata proprio in boulevard Voltaire, quasi di fronte a un commissariato di polizia?

Era troppo tardi per allertare le unità via radio: ovunque fosse diretta, l'auto rossa aveva avuto tutto il tempo di giungere a destinazione.

Maigret, con la fronte aggrottata, borbottava fra sé e sé tirando brevi boccate dalla pipa, e Lucas cercava di afferrare quel che diceva.

«... stranieri... tipo ispanico... lei non ha aperto bocca... che non parli il francese?... tipo nordico... ma perché boulevard Voltaire e perché Pardon?...».

Era questo che più lo tormentava. Se quei due vivevano a Parigi, era facile che abitassero nei quartieri alti, e medici se ne trovavano praticamente in ogni strada... E se il fatto era avvenuto all'interno di un'abitazione, perché l'uomo non aveva chiamato un medico invece di portarsi dietro una donna ferita per le strade della città con dodici gradi sotto zero?...

A meno che fossero clienti di passaggio in un grande albergo... No, era poco probabile... Il rumore dello sparo avrebbe attirato l'attenzione...

«Cos'hai da guardarmi?» Maigret chiese bruscamente a Lucas, quasi si fosse appena accorto della sua presenza.

«Sto aspettando che mi dica cosa devo fare».

«E che vuoi che ne sappia!».

Ma sorrise lui stesso del proprio atteggiamento.

«È una storia che non sta in piedi e non so davvero da che parte cominciare. Per di più mi ha svegliato il telefono nel bel mezzo di non so che incubo...».

«Vuole un caffè?».

«Ne ho appena preso uno... Un uomo dai tratti ispanici e una donna di tipo nordico suonano, all'una di notte, alla porta del mio amico Pardon...».

Mentre, con aria imbronciata, raccontava la vicenda, Maigret ne scopriva i punti deboli.

«Il colpo non è stato sparato in un albergo, e nemmeno per strada. Quindi, deve essere successo in un appartamento privato o in una villa...».

«Secondo lei sono marito e moglie?».

«Direi di no, anche se non saprei spiegare perché. Se avessero chiamato il loro medico di fiducia, supponendo che ne abbiano uno, questi avrebbe dovuto inviare un rapporto alla polizia...».

Maigret si arrovellava soprattutto sul fatto che avessero scelto Pardon, un anonimo medico di quartiere. Avevano forse pescato il nome a caso dall'elenco telefonico?

«La donna non risulta essere stata ricoverata né in un ospedale né in una clinica... Pardon si è offerto di prestarle un accappatoio della moglie, perché la sottoveste e l'abito erano inzuppati di sangue... Ma lei ha preferito rimetterseli così... Perché?».

Lucas fece per aprir bocca, ma il commissario aveva già pronta la risposta.

«Perché quei due avevano intenzione di filarsela... Non sarà magari un ragionamento brillante, ma regge...».

«Buona parte delle strade è pressoché impraticabile... A maggior ragione con a bordo una persona ferita...».

«Ora che ci penso... Chiamami Breuker, a Orly... Se lui non c'è, passami quell'idiota del suo vice... Non mi ricordo mai come si chiama...».

Breuker, un alsaziano dall'accento marcato, era il commissario del posto di polizia dell'aeroporto.

Quella notte non era in servizio e fu proprio il suo vice a rispondere.

«Vicecommissario Marathieu...».

«Parla Maigret» borbottò il capo della Omicidi, già irritato dal tono presuntuoso del suo interlocutore.

«Cosa posso fare per lei, signor commissario?».

«Per il momento non lo so nemmeno io... Quanti voli per l'estero sono partiti dalle due, anzi, dalle due e mezzo di stamattina in poi?».

«Solo due... Uno per Amsterdam e un altro per l'India, con scalo a Cointrin... Quaranta minuti fa hanno sospeso i decolli per via del ghiaccio sulle piste...».

«Voi siete lontani dal parcheggio?».

«Neanche tanto, ma con tutto questo ghiaccio persino camminare è un'impresa...».

«Mi faccia lo stesso la cortesia di andare a controllare se c'è un'Alfa Romeo rossa...».

«Ha il numero di targa?».

«No, ma dubito che a quest'ora ci siano molte Alfa Romeo di quel colore nel parcheggio... Nel caso la trovasse, chieda agli ispettori del controllo passaporti se hanno visto passare una coppia rispondente a questa descrizione...».

E ripeté quanto già detto a Lucas e agli altri due.

«Mi richiami appena può al Quai des Orfèvres».

Poi, girandosi verso il buon Lucas, si strinse nelle spalle e disse:

«Non si sa mai...».

Era un'inchiesta strana, e sembrava che Maigret non la prendesse tanto sul serio, e che la affrontasse al modo in cui si cerca di risolvere un cruciverba.

«Marathieu sarà furibondo...» osservò Lucas. «Lui che è sempre tirato a lucido come un damerino e che si dà arie da gran capo, mandarlo a impantanarsi nella neve e a far l'equilibrista sul ghiaccio...».

Passarono più di venti minuti prima che il telefono si decidesse a squillare.

«Parla il vicecommissario Marathieu...» disse a voce alta Maigret, facendogli il verso.

E furono esattamente le prime parole che udì.

«Allora?».

«C'è un'Alfa Romeo rossa con una targa della periferia di Parigi, nel parcheggio...».

«È chiusa a chiave?».

«Sì... Una coppia rispondente ai connotati ha preso il volo delle tre e dieci per Amsterdam...».

«Ha i nomi?».

«L'ispettore che ha controllato i passaporti non se li ricorda... Sa solo che l'uomo aveva un passaporto colombiano e la donna olandese, entrambi con svariati timbri e visti...».

«A che ora atterreranno ad Amsterdam?».

«Se il volo non ha accumulato ritardo e la pista è praticabile, alle quattro e diciassette».

Erano le quattro e ventidue. Con ogni probabilità i due erano al controllo documenti e stavano passando la dogana. In ogni caso, e soprattutto a quel punto dell'inchiesta, Maigret non poteva permettersi di rivolgersi direttamente alla polizia dell'aeroporto olandese.

«Allora, capo? Cosa faccio?».

«Niente. Aspetta che ti diano il cambio. Per quanto mi riguarda, me ne vado a dormire. Buonanotte, ragazzi... Anzi, se uno di voi fosse tanto gentile da accompagnarmi a casa...».

Mezz'ora dopo dormiva già come un sasso accanto alla moglie.

2

Ci sono casi che si presentano fin dall'inizio sotto una luce tragica, e che conquistano immediatamente i titoloni in prima pagina. Altri, in apparenza banali, ottengono al massimo tre o quattro righe in sesta pagina, finché non ci si accorge che un semplice fatto di cronaca nascondeva in realtà un dramma avvolto nel mistero.

Maigret stava facendo colazione seduto di fronte alla moglie, accanto alla finestra. Erano le otto e mezzo del mattino e la giornata era così buia che avevano dovuto lasciare tutte le luci accese. Non avendo dormito a sufficienza, il commissario si sentiva fiacco, con la mente intorpidita e piena di pensieri confusi.

Sulle finestre, negli angoli dei vetri, restava della brina, e Maigret ripensò a quando, da piccolo, si divertiva a tracciare con le dita delle figure o le proprie iniziali; e rievocò anche la strana sensazione, piacevole e fastidiosa insieme, della patina ghiacciata che s'infilava sotto le unghie.

Dopo tre giorni di freddo polare, aveva ripreso a nevicare, tanto che le case e i negozi dall'altro lato della strada si distinguevano a malapena.

«Molto stanco?».

«Un'altra tazza di caffè e sarò in piena forma».

Si sforzava, suo malgrado, di immaginare quella coppia di stranieri eleganti, sbucata Dio solo sa da dove nello studio di un modesto medico di quartiere. Pardon aveva capito subito che quei due non appartenevano al suo mondo, né a quello di Maigret o della gente che, come loro, abitava attorno a rue Picpus.

Capitava spesso, al commissario, di imbattersi in personaggi di quel tipo, che a Londra, New York o Roma si sentono come a casa propria, prendono l'aereo come gli altri prendono il métro, scendono in alberghi di lusso e, a qualunque latitudine, ritrovano le loro abitudini e i loro amici.

È una sorta di massoneria internazionale, e non solo del denaro, bensì di un certo stile di vita, di certi atteggiamenti, e anche di una certa morale, diversa da quella del comune mortale.

Con loro Maigret non si sentiva mai del tutto a proprio agio, e a stento reprimeva un'irritazione che si sarebbe potuto scambiare per invidia.

«A cosa pensi?».

«A niente».

Pensava senza rendersene conto. Ed era lì, con la testa fra le nuvole, quando lo squillo del telefono lo fece sobbalzare. Già le nove meno un quarto: ora di alzarsi da tavola e di mettersi il cappotto.

«Pronto...».

«Sono Lucas...».

L'ispettore doveva smontare alle nove.

«Ha appena chiamato il commissario Manicle, del XIV arrondissement, capo... Stanotte hanno ucciso un uomo in una villa di avenue du Parc-Mont-souris... Tale Nahour, un libanese... L'ha scoperto la donna di servizio quando è arrivata stamattina alle otto...».

«Lapointe è già in ufficio?».

«Mi pare di sentire i suoi passi in corridoio... Un secondo solo... Sì, è lui...».

«Digli di venire a prendermi in macchina... E di' a Manicle che arrivo subito... Tu, invece, va' a casa a dormire...».

«Grazie, capo...».

«Nahour... Nahour...» ripeté Maigret fra sé e sé.

Ancora uno straniero. I due della notte preceden-te erano lei olandese e lui colombiano. E adesso Na-hour, un mediorientale.

«Un nuovo caso?» domandò sua moglie.

«Un omicidio, a quanto pare, in avenue du Parc-Montsouris...».

Si annodò attorno al collo la sciarpa pesante, infilò il cappotto e prese il cappello.

«Non aspetti che arrivi Lapointe?».

«Ho bisogno di una boccata d'aria...».

Lapointe lo trovò sul ciglio del marciapiede. Il commissario salì sull'utilitaria nera.

«Hai l'indirizzo esatto?».

«Sì, capo... È una casa con giardino, l'ultima pri-ma del parco... Ho saputo che non ha dormito gran-ché, stanotte...».

Il traffico era lento e difficoltoso. Qua e là delle macchine erano slittate e bloccavano di traverso la carreggiata, e sui marciapiedi i passanti camminava-no con circospezione. La Senna, di un verde cupo, era disseminata di blocchi di ghiaccio che scivolava-no lenti lungo la corrente.

Si fermarono davanti a una villa con grandi vetra-te al pianterreno. A occhio e croce doveva risalire agli anni fra il 1925 e il 1930, quando in alcuni quartieri di Parigi, soprattutto a Auteuil e a Montparnasse, sorsero diverse costruzioni ritenute per l'epoca di avanguardia.

Un vigile, che camminava su e giù davanti all'entrata, salutò il commissario e spinse un cancello di ferro che dava accesso a un piccolo giardino, in mezzo al quale si ergeva un albero completamente spoglio.

I due uomini percorsero il vialetto e, saliti i quattro gradini che conducevano all'ingresso, trovarono in corridoio un altro agente, che li introdusse nello studio.

Lì c'era Manicle insieme a uno dei suoi ispettori. Era un piccoletto secco e baffuto, Manicle, e Maigret lo conosceva da più di vent'anni. I due si strinsero la mano, poi Manicle gli indicò il cadavere che giaceva sul pavimento dietro una scrivania di mogano.

«Ci ha telefonato alle otto e cinque la donna di servizio, una certa Louise Bodin, che viene tutti i giorni alle otto, e abita a due passi, in rue du Saint-Gothard».

«Mi dica di Nahour».

«Félix Nahour, quarantadue anni, cittadino libanese, senza professione. Abita in questa casa da sei mesi: l'ha presa in affitto ammobiliata da un pittore che si è trasferito negli Stati Uniti...».

Nella stanza c'era un caldo soffocante, sebbene le immense vetrate fossero costellate di brina come le finestre di boulevard Richard-Lenoir.

«Quando siete arrivati le tende erano aperte?».

«No... Erano accostate... Come può notare, sono tende pesanti, foderate di feltro, per non far entrare il freddo...».

«Il medico non si è ancora visto?».

«Poco fa è passato quello del quartiere e ha constatato il decesso, del resto inequivocabile... Ho avvisato il medico legale, e sia lui che la Procura dovrebbero arrivare da un momento all'altro...».

Maigret si rivolse a Lapointe:

«Chiama la Scientifica e di' a Moers che venga subito con i suoi uomini... No, non telefonare da qui... Ci potrebbero essere delle impronte sull'apparecchio... Cerca un bistrot nelle vicinanze, o un telefono pubblico...».

Si tolse sciarpa e cappotto: dopo la notte pressoché in bianco, sentiva il caldo montargli alla testa e dargli le vertigini.

Lo studio era spazioso. Il pavimento era rivestito di moquette celeste e i mobili, benché disparati, erano di gusto e di valore.

Girando attorno alla scrivania Impero per esaminare il morto più da vicino, il commissario vide accanto al sottomano una cornice d'argento con una fotografia.

Era il ritratto di una giovane donna dai capelli di un biondo chiarissimo e dal sorriso triste: aveva sulle ginocchia un bambino di circa un anno, e accanto a sé una bimba che doveva averne tre.

Aggrottando le sopracciglia, Maigret prese la cornice per osservare meglio la foto e notò una cicatrice di due centimetri che dall'occhio sinistro si allungava verso l'orecchio.

«È la moglie?».

«Suppongo di sì. Ho fatto cercare nei nostri registri: è iscritta con il nome di Evelina Nahour, nata Wiemers, originaria di Amsterdam...».

«È in casa?».

«No. Abbiamo bussato alla porta della sua camera e, dato che non rispondeva nessuno, abbiamo aperto. C'è un po' di disordine, ma il letto è intatto...».

Maigret si chinò sul corpo raggomitolato, di cui era visibile solo una metà della faccia. Per quel che poteva giudicare senza spostare nulla, una pallottola gli era penetrata in gola recidendo la carotide, e ciò spiegava l'impressionante pozza di sangue sul tappeto.

Nahour era piuttosto basso e grassoccio. Aveva un paio di baffetti scuri, e sulla testa si notavano i segni di una calvizie incipiente. Alla mano sinistra, molto curata, portava la fede e con la destra doveva aver cercato inutilmente di fermare il sangue.

«Sa chi altri abita in questa casa?».

«Ho fatto un paio di domande alla donna di servizio, ma ho preferito lasciare a lei il compito di interrogarla. Ho chiesto poi al segretario e alla cameriera di rimanere al piano di sopra, e ho messo un agente di guardia perché non comunichino fra loro».

«E questa signora Bodin dov'è ora?».

«In cucina... Gliela chiamo?».

«Se non le dispiace...».

In quel momento tornò Lapointe annunciando:

«Fatto, capo... Moers sta arrivando...».

Louise Bodin entrò nella stanza con il volto accigliato e uno sguardo di sfida. Maigret conosceva bene il genere: gran parte delle donne di servizio di Parigi sono così, donne che hanno sofferto, maltrattate dalla vita, e fatalmente destinate a una vecchiaia ancor più grama. Allora si induriscono, diventano diffidenti, e incolpano delle proprie disgrazie il mondo intero.

«Lei si chiama Louise Bodin?».

«Sì. Signora Bodin».

E sottolineò il *signora*, che doveva rappresentare per lei l'ultimo residuo della sua dignità di donna. I vestiti sembravano penzolarle dal corpo magro, e nei suoi occhi scuri ardeva uno sguardo così intenso da sembrare quasi febbrile.

«Sposata?».

«Una volta...».

«Suo marito è morto?».

«No. Se proprio ci tiene a saperlo, è a Fresnes, ed è meglio così...».

Maigret preferì non approfondire i motivi che l'avevano condotto in prigione.

«Lavora in questa casa da molto tempo?».

«Saranno cinque mesi domani...».

«Come è entrata a servizio?».

«Ho risposto a un annuncio... Prima facevo un'ora qua, mezza giornata là...».

E, girandosi verso il cadavere, sghignazzò:

«Meno male che nell'annuncio avevano messo: posto fisso!».

«Lei non dormiva qui?».

«Mai. Me ne andavo a casa la sera alle otto e ritornavo qui alle otto del mattino dopo...».

«Il signor Nahour non lavorava?».

«Qualcosa doveva ben fare, visto che aveva un segretario e che se ne stava per ore in mezzo alle sue scartoffie...».

«Chi è il segretario?».

«Uno del suo paese, il signor Fouad...».

«E in questo momento dov'è?».

Lei lanciò un'occhiata al commissario di zona.

«In camera sua...».

Parlava in tono aggressivo.

«Il signor Fouad non le sta simpatico?».

«E perché dovrebbe starmi simpatico?».

«Quando è arrivata stamattina alle otto, è entrata subito in questa stanza?».

«Prima sono andata in cucina a mettere l'acqua

sul fuoco e ad appendere il cappotto nell'armadio a muro...».

«Dopodiché ha aperto questa porta?...».

«Era sempre da qui che cominciavo...».

«Quando ha visto il corpo, che cos'ha fatto?».

«Ho chiamato la polizia...».

«Senza avvisare il signor Fouad?».

«Senza avvisare nessuno...».

«Perché?».

«Non mi fido della gente, e in particolare di quella che abita qui...».

«Per quale motivo non si fida di loro?».

«Perché non sono normali...».

«Che cosa intende dire?».

Lei si strinse nelle spalle e buttò lì:

«Lo so io, quello che intendo dire... Nessuno mi può impedire di pensarla come mi pare, no?».

«E mentre aspettava la polizia, è salita ad avvertire il segretario?».

«No. Sono andata in cucina a farmi il caffè; la mattina, a casa, non ho il tempo di berlo...».

«E il signor Fouad non è sceso?».

«Non si fa vedere quasi mai prima delle dieci...».

«Dormiva?».

«Le ho appena detto che non sono salita».

«E la cameriera?».

«È la cameriera della signora. Del marito non si occupava. E dato che la signora stava a letto fino a mezzogiorno e anche di più, ne approfittava volentieri anche lei...».

«Come si chiama?».

«Nelly vattelapesca... Ho sentito il suo cognome un paio di volte, ma non me lo ricordo... Un cognome olandese... È olandese anche lei, come la signora...».

«Nemmeno la cameriera le sta simpatica?».

«Perché, è proibito?».

«Vedo, in questa foto, che la sua padrona ha due bambini... Sono in casa?».

«Qui non ci hanno mai messo piede...».

«Dove vivono?».

«Da qualche parte sulla Costa Azzurra, con la governante...».

«I genitori andavano a trovarli spesso?».

«E chi lo sa. Viaggiavano molto, quasi sempre ognuno per conto suo, ma io non gli ho mai chiesto dove andavano...».

Il camioncino della Scientifica si fermò davanti al giardino, e Moers e i suoi uomini avanzarono verso la casa.

«Il signor Nahour riceveva molto?».

«Che intende per ricevere?».

«Invitava degli amici a pranzo o a cena?».

«No, perlomeno non da quando sono qui io. E poi, il più delle volte cenava fuori».

«E sua moglie?».

«Pure».

«Cenavano insieme?».

«Mica gli andavo dietro».

«Visite?».

«Ogni tanto il signor Nahour vedeva qualcuno nello studio...».

«Amici?».

«Non sono una che si mette ad ascoltare dietro le porte... Erano quasi sempre stranieri, gente del suo paese, e parlavano una lingua che non capisco...».

«Il signor Fouad assisteva a questi colloqui?».

«A volte sì, a volte no...».

«Un momento, Moers... Non può cominciare prima che arrivi il medico legale... Grazie, signora Bodin... La prego di rimanere in cucina e di non pulire niente finché non avranno ispezionato la casa... Dov'è la camera della signora Nahour?».

«Su, al primo piano...».

«Il signor Nahour e la moglie dormivano nella stessa stanza?».

«No. L'appartamento del signor Nahour è al pianterreno, in fondo al corridoio...».

«Non c'è una sala da pranzo?».

«No. Usavano lo studio».

«La ringrazio per la collaborazione...».

«Non c'è di che...».

E, con sussiego, la donna uscì dalla stanza.

Un istante dopo Maigret, seguito da Manicle e Lapointe, si avviò su per la scala coperta da una guida dello stesso color lavanda della moquette nello studio. Sul ballatoio del primo piano, un ispettore di zona in borghese fumava una sigaretta con aria rassegnata.

«La camera della signora Nahour?...».

«È questa qui di fronte...».

La stanza era spaziosa, arredata in stile Luigi XVI. Sebbene il letto fosse intatto, c'era un discreto disordine. Un abito verde e alcuni capi di biancheria erano sparsi sul tappeto. Gli armadi con le ante spalancate facevano pensare a una partenza precipitosa. Diverse grucce buttate qua e là, una sul letto, un'altra su una poltrona foderata di seta, sembravano indicare che qualcuno aveva afferrato in fretta e furia qualche vestito per ficcarlo in valigia.

Maigret aprì distrattamente qualche cassetto.

«Lapointe, puoi chiamarmi la cameriera?».

Passò un bel po'. Dopo diversi minuti una giovane donna, bionda quasi quanto la signora Nahour e con occhi di un azzurro sorprendentemente chiaro, apparve nel vano della porta seguita da Lapointe.

Non portava né camice da lavoro né i tradizionali

abito nero e grembiule bianco, ma un tailleur di tweed piuttosto aderente.

Con in testa una cuffietta a due punte, sarebbe stata il prototipo dell'olandese raffigurata sulle scatole del cacao.

«Entri pure... Si accomodi...».

Il suo viso era totalmente privo d'espressione, quasi non avesse capito che cosa stava succedendo e chi erano le persone in piedi davanti a lei.

«Come si chiama?».

Lei scrollò la testa e socchiuse appena le labbra:

«Non capire...».

«Non parla francese?».

Fece segno di no.

«Solo l'olandese?».

Maigret immaginava già le difficoltà per trovare un traduttore.

«*English too*».

«Parla inglese?».

«*Yes...*».

Il poco che ne sapeva Maigret non sarebbe bastato per un interrogatorio che poteva essere importante.

«Vuole che traduca, capo?» propose timidamente Lapointe.

Il commissario lo guardò stupefatto, perché il giovane ispettore non gli aveva mai detto che conosceva l'inglese.

«E tu dove l'hai imparato?».

«È da un anno che lo studio, un po' per giorno...».

Lo sguardo della ragazza andava dall'uno all'altro, e alle domande non rispondeva subito, come se le ci volesse del tempo per assimilare quanto le veniva chiesto.

La sua non era una diffidenza aggressiva, come

quella della donna di servizio, ma piuttosto una sorta di distacco, non si capiva se innato o acquisito. Dava l'impressione di avere un'intelligenza nettamente inferiore alla media, ma c'era da chiedersi se non lo facesse apposta.

Anche in inglese sembrava dover fare un notevole sforzo per afferrare il senso delle frasi, e le risposte che dava erano telegrafiche, elementari.

Si chiamava Velthuis, aveva ventiquattro anni, era nata in Frisia, nel Nord dell'Olanda, e da lì, a soli quindici anni, era partita per Amsterdam.

«È entrata subito a servizio dalla signora Nahour?».

Lapointe tradusse la domanda, e Nelly replicò laconicamente:

«*No*».

«Quando è diventata la sua cameriera?».

«Sei anni fa...».

«Come ha saputo del posto?».

«Tramite un annuncio apparso su un giornale di Amsterdam».

«La signora Nahour era già sposata?».

«Sì».

«Da quanto tempo?».

«Non lo sa».

Maigret faceva fatica a mantenersi calmo, perché con tutti quei «sì» e quei «no», anzi quegli «*yes*» e «*no*», l'interrogatorio rischiava di andare per le lunghe.

«Dille che non mi piace esser preso per fesso».

Lapointe, imbarazzato, tradusse, e per un istante la ragazza guardò il commissario con aria un po' stupita, ma poi tornò subito alla sua espressione di assoluta indifferenza.

Due macchine scure accostarono davanti alla casa, e Maigret borbottò:

«Quelli della Procura... Tu resta con lei, eh?... Cerca di cavarne più che puoi...».

Il sostituto procuratore Noiret era un uomo di una certa età, che sfoggiava un pizzetto ingrigito e fuori moda. Dopo aver fatto il giro di quasi tutti i tribunali di provincia, aveva finalmente ottenuto la nomina a Parigi, dove aspettava la pensione tenendosi prudentemente alla larga dalle grane.

Il medico legale, tale Colinet, curvo sul cadavere, sostituiva ormai da un po' il dottor Paul, con cui Maigret aveva lavorato per tanti anni. Anche altri, col tempo, se n'erano andati, come il giudice Coméliau, che il commissario avrebbe potuto definire suo nemico intimo, e che ogni tanto rimpiangeva.

Quanto al giudice Cayotte, che era relativamente giovane, di norma, prima di occuparsi dell'inchiesta, lasciava che la polizia lavorasse da sola per un paio di giorni.

Per ben due volte il medico aveva dovuto spostare il cadavere, e aveva le mani impiastricciate di sangue coagulato. Con lo sguardo cercò Maigret.

«Naturalmente potrò dirle qualcosa di definitivo solo dopo l'autopsia. Il punto in cui è penetrata la pallottola farebbe supporre che l'aggressore si sia servito di un'arma di medio o, addirittura, grosso calibro, e che abbia fatto fuoco da una distanza di più di due metri.

«Visto che non c'è foro di uscita, la pallottola è rimasta dentro. E poiché non può essersi fermata in gola, dove non avrebbe incontrato sufficiente resistenza, è probabile che sia stata sparata dal basso verso l'alto, e sia andata a conficcarsi nella scatola cranica...».

«Intende dire che la vittima era in piedi mentre

l'assassino, poniamo, era seduto dall'altro lato della scrivania?».

«Non necessariamente seduto: può aver sparato senza alzare il braccio, con la mano all'altezza del fianco...».

Fu solo quando gli addetti dell'obitorio sollevarono il corpo per adagiarlo sulla barella che apparve sul tappeto un'automatica calibro 6,35 con il calcio di madreperla.

Il sostituto procuratore e il giudice guardarono Maigret, aspettando di sapere cosa ne pensasse.

«Suppongo che non possa essere stata quest'arma a causare la ferita...» osservò il commissario rivolgendosi al medico legale.

«Salvo ulteriori verifiche, lo escluderei».

«Moers, le dispiacerebbe esaminare la pistola?».

Questi, servendosi di un panno, prese l'arma, l'annusò e ne estrasse il caricatore.

«Manca una pallottola, capo...».

Una volta portato via il corpo, gli uomini della Scientifica cominciarono a darsi da fare, e si mise all'opera anche il fotografo, che aveva già scattato qualche inquadratura del morto. C'era un gran viavai di persone, e qua e là si formavano dei capannelli. Il sostituto procuratore Noiret tirò il commissario per la manica.

«Secondo lei, di che nazionalità è?».

«Libanese...».

«Crede che si tratti di un delitto politico?».

Era un'ipotesi che lo spaventava: ricordava alcuni casi di quel genere, e spesso e volentieri chi se n'era occupato non aveva fatto una bella fine.

«Penso che potrò darle una risposta in tempi abbastanza rapidi...».

«Ha già interrogato la servitù?».

«Sì. Ho fatto qualche domanda alla donna di servizio, che non è molto loquace, e poi alla cameriera, che lo è ancora meno. Va detto che non parla una parola di francese, o almeno così sembra. Lapointe sta conducendo l'interrogatorio in inglese, al piano di sopra...».

«Mi faccia sapere al più presto...».

E, dato che per il momento la presenza della Procura era una semplice formalità, Noiret partì alla ricerca del giudice per andarsene via con lui.

«Non ha più bisogno di me né dei miei uomini?» chiese a Maigret il commissario di zona.

«Di lei no, vecchio mio, ma gradirei che mi lasciasse ancora un po' i suoi ispettori, e anche il vigile di guardia all'ingresso».

«A sua disposizione...».

Un po' alla volta la stanza si svuotava, e a un certo punto Maigret si trovò davanti una biblioteca che doveva contenere più di trecento volumi. Si stupì nel constatare che erano quasi tutti testi scientifici, perlopiù di matematica, e un ripiano intero, con libri in inglese e francese, era dedicato al calcolo delle probabilità.

Aprendo le ante sotto gli scaffali, trovò mucchi di fogli, alcuni ciclostilati e interamente coperti di colonne di numeri.

«Moers, non andartene senza prima passare da me... La pistola, mandala da Gastinne-Renette per una perizia... A proposito, aggiungici questo...».

E si tolse di tasca un batuffolo di cotone con il proiettile che gli aveva consegnato Pardon.

«Dove l'ha trovato?».

«Te lo racconto dopo... Ho urgente bisogno di sapere se è stata l'automatica a spararlo...».

Salendo le scale si accese la pipa, poi buttò un occhio nella camera dove, seduti l'uno di fronte all'altro, c'erano la giovane olandese e Lapointe, che prendeva appunti appoggiando il taccuino sul ripiano della toeletta.

«Il segretario?» chiese Maigret all'ispettore di zona che si annoiava in corridoio.

«La porta in fondo».

«Ha fatto storie?».

«Ogni tanto socchiude la porta per sentire che succede. Ha ricevuto una telefonata...».

«Che cosa gli ha detto il commissario, stamattina?».

«Che il suo principale era stato ucciso e che lo pregava di rimanere in camera sua fino a nuovo ordine...».

«C'era anche lei?».

«Sì».

«Le è parso sorpreso?».

«Non mi sembra un tipo espansivo, tutt'altro. Se ne renderà conto anche lei».

Maigret bussò alla porta e contemporaneamente ruotò il pomello e la aprì. La camera era in ordine e, se qualcuno aveva dormito nel letto, questo poi era stato rifatto con cura. Ogni cosa era al suo posto. Davanti alla finestra c'era una piccola scrivania, accanto alla scrivania una poltrona di pelle rossiccia e, seduto in poltrona, c'era un uomo che guardava il commissario avanzare verso di lui.

Era difficile attribuirgli un'età. Aveva fattezze arabe molto marcate, la carnagione scura, e il volto, benché segnato da profonde rughe, poteva appartenere a un individuo di quarant'anni come di sessanta. I capelli, ispidi e folti, erano di un nero corvino, senza un filo bianco.

L'uomo non si alzò né fece alcunché per accogliere il visitatore, limitandosi a fissarlo con occhi ardenti senza che nulla trasparisse sul suo viso.

«Lei parla francese, vero?».

L'altro si limitò ad annuire.

«Commissario Maigret, capo della Squadra Omicidi. Lei è il segretario del signor Nahour, suppongo...».

Altro cenno affermativo.

«Posso chiederle il suo nome esatto?».

«Fouad Ouéni».

Aveva una voce fioca, come se soffrisse di laringite cronica.

«È al corrente di ciò che è accaduto stanotte nello studio?».

«No».

«L'avranno pur informata che il signor Nahour è stato ucciso...».

«È tutto quel che so».

«Lei dov'era?».

Il volto dell'uomo era impassibile. Raramente a Maigret era capitato di ottenere così poca collaborazione come da quando aveva messo piede in quella casa. La donna delle pulizie rispondeva in modo evasivo, ostile. La cameriera olandese parlava a monosillabi. E ora Fouad Ouéni, impeccabile nel suo completo nero con camicia bianca e cravatta grigio scuro, ascoltava il commissario guardandolo con la più assoluta indifferenza, se non addirittura con disprezzo.

«Ha trascorso la notte in questa stanza?».

«Dall'una e mezzo in poi».

«Intende dire che è rincasato all'una e mezzo?».

«Credevo di essermi spiegato».

«E dove è stato fino a quell'ora?».

«Al Cercle Saint-Michel».

«Un circolo di gioco?».

L'altro si limitò ad alzare le spalle.

«Dove si trova esattamente?».

«Sopra il Bar des Tilleuls».

«Ha giocato?».

«No».

«Che cosa ha fatto?».

«Ho annotato le mosse».

Era forse il sarcasmo a conferirgli quell'aria soddisfatta? Maigret prese una sedia, si sedette, e continuò imperterrito a far domande fingendo di non cogliere l'ostilità del suo interlocutore.

«Quando è tornato a casa, nello studio la luce era accesa?».

«Non lo so».

«Le tende erano accostate?».

«Suppongo di sì. Di sera lo sono sempre».

«Non ha notato la luce filtrare da sotto la porta?».

«Non filtra alcuna luce da sotto la porta».

«A quell'ora, di solito, il signor Nahour era già a letto?».

«Dipendeva».

«Da cosa?».

«Da lui».

«Usciva spesso?».

«Quando ne aveva voglia».

«Dove andava?».

«Dove voleva».

«Da solo?».

«Da casa, usciva solo».

«Prendeva l'auto?».

«Chiamava un taxi».

«Non guidava?».

«Non gli piaceva. Di giorno gli facevo io da autista».

«Di che marca è la sua macchina?».

«Bentley».

«È in garage?».

«Non ho controllato. Mi hanno proibito di uscire da questa stanza».

«E la signora Nahour?».

«Cosa vuole sapere?».

«Ha un'auto anche lei?».

«Sì. Una Triumph verde».

«Ieri sera è andata fuori?».

«Non ero tenuto a occuparmi di lei».

«A che ora è uscito di casa?».

«Alle dieci e mezzo».

«La signora c'era?».

«Non ne ho idea».

«E il signor Nahour?».

«Non so se fosse già rientrato. Penso che abbia cenato fuori».

«Sa dove?».

«Probabilmente al Petit Beyrouth, come faceva quasi sempre».

«E in casa, chi preparava da mangiare?».

«Tutti e nessuno».

«La colazione?».

«Per il signor Félix, io».

«Chi è il signor Félix?».

«Il signor Nahour».

«Perché lo chiama signor Félix?».

«Perché c'è anche il signor Maurice».

«Chi è il signor Maurice?».

«Il padre del signor Nahour».

«Vive qui?».

«No, in Libano».

«E chi altro c'è?».

«Il signor Pierre, fratello del signor Nahour».

«E lui dove abita?».

«A Ginevra».

«Chi le ha telefonato stamattina?».

«Non mi ha telefonato nessuno».

«Eppure hanno sentito squillare il telefono in questa stanza».

«Avevo chiesto un numero di Ginevra, e la centralinista mi ha richiamato per darmi la linea».

«Telefonava al signor Pierre?».

«Sì».

«L'ha informato dell'accaduto?».

«Gli ho detto che il signor Félix era morto. Ha preso il primo volo e arriverà a Orly fra pochi minuti».

«Sa di cosa si occupa il signor Pierre a Ginevra?».

«Fa il banchiere».

«E il signor Félix?».

«Non lavorava».

«Lei era al suo servizio da molto tempo?».

«Non ero al suo servizio».

«Non svolgeva le mansioni di segretario? Ha appena detto che gli preparava la colazione e gli faceva da autista».

«Lo aiutavo».

«Da molto?».

«Diciotto anni».

«Vi siete conosciuti a Beirut?».

«Ci siamo conosciuti alla Facoltà di Giurisprudenza».

«A Parigi?».

L'uomo annuì, sempre rigido e impassibile nella sua poltrona, mentre Maigret, sulla sua sedia, cominciava a spazientirsi.

«Il signor Nahour aveva dei nemici?».

«Non che io sappia».

«Si occupava di politica?».

«Per niente».

«Insomma, lei è uscito verso le dieci e mezzo senza sapere se in casa c'era qualcuno o no. È andato in un circolo di gioco di boulevard Saint-Michel, dove ha annotato le mosse ma non ha giocato. Poi, all'una e mezzo, è rincasato ed è salito qui, in camera sua, sempre senza sapere dove fossero gli altri. Giusto? Non ha visto niente né sentito niente, e tutto si aspettava tranne che la svegliassero stamattina annunciandole che qualcuno aveva sparato al signor Nahour».

«Che sia morto di un colpo d'arma da fuoco me lo sta dicendo lei adesso».

«Che cosa sa della vita coniugale di Félix Nahour?».

«Nulla. Non mi riguardava».

«Era un matrimonio felice?».

«Non ne ho idea».

«A sentir lei, si direbbe che marito e moglie fossero raramente insieme».

«È una situazione abbastanza frequente, mi pare».

«Perché i bambini non vivono a Parigi?».

«Forse perché stanno meglio sulla Costa Azzurra...».

«Dove abitava il signor Nahour prima di prendere in affitto questa casa?».

«Un po' ovunque... In Italia... Un anno a Cuba, prima della rivoluzione... Per un certo periodo in una villa a Deauville...».

«Lei va spesso al Cercle Saint-Michel?».

«Un paio di volte alla settimana».

«E non gioca mai?».

«Di rado».

«Le dispiacerebbe accompagnarmi da basso?».

Si diressero verso le scale. In piedi, Fouad Ouéni sembrava ancora più magro e secco di quando era seduto.

«Quanti anni ha?».

«Non lo so. Fra le montagne, quando sono nato,

l'ufficio anagrafico non esisteva. Sul mio passaporto figura che ho cinquantun anni».

«E ne ha di più o di meno?».

«Non ne ho idea».

Nello studio, gli esperti della Scientifica stavano riponendo le apparecchiature dentro le custodie.

Quando il camioncino partì e i due uomini rimasero soli, Maigret disse:

«Si guardi attorno, e mi dica se in questa stanza manca qualcosa. O se c'è qualcosa che prima non c'era».

Ouéni, che era assorto nella contemplazione della macchia di sangue, si scosse e andò alla scrivania. Aprì il cassetto di destra e annunciò:

«L'automatica non c'è più».

«Di che marca era?».

«Una Browning 6,35».

«Con il calcio di madreperla?».

«Sì».

«Come mai Félix Nahour aveva scelto proprio quella? In genere è considerata un'arma da donna...».

«Una volta apparteneva alla signora Nahour».

«Quanto tempo fa?».

«Non lo so».

«È stato lui a riprendersela?».

«Non me l'ha detto».

«Aveva il porto d'armi?».

«Non portava mai la pistola con sé».

Poi, ritenendo chiusa la questione, il libanese si mise ad aprire gli altri cassetti, che contenevano vari incartamenti, quindi si diresse verso la biblioteca e aprì le ante in basso.

«Potrebbe spiegarmi cosa sono tutte quelle cifre?».

Ouéni lo guardò con aria stupita e ironica insieme, come per dire che avrebbe dovuto arrivarci da solo.

«Sono i numeri giocati nei casinò più importanti. Agenzie apposite ne mandano le liste ciclostilate ai loro abbonati. Altre, il signor Félix riusciva a ottenerle da un dipendente interno».

Maigret stava per formulare un'altra domanda, quando nel vano della porta comparve Lapointe.

«Capo, le dispiace salire un momento?».

«Novità?».

«Niente di straordinario, ma è meglio che lei ne sia informato».

«La prego di non allontanarsi da questa casa senza il mio permesso, signor Ouéni».

«Posso andare a farmi un caffè?».

Maigret rispose con un'alzata di spalle e uscì dalla stanza.

3

Raramente Maigret si era sentito così spaesato.
Aveva l'impressione di vivere in una sorta di irrealtà,
e il malessere che provava era lo stesso di quando,
in sogno, ci viene a mancare la terra sotto i piedi.

Sulle strade innevate, i pochi passanti avevano un
bel da fare per mantenersi in equilibrio; macchine,
taxi e autobus avanzavano al rallentatore, mentre,
un po' dappertutto, i camion della sabbia o del sale
costeggiavano i marciapiedi a passo d'uomo.

Gran parte delle finestre erano illuminate, e la
neve non smetteva di cadere da un cielo color ar-
desia.

Il commissario avrebbe quasi potuto descrivere
quel che stava succedendo in ognuna di quelle ca-
selle, in cui respiravano degli esseri umani. Dopo
più di trent'anni, conosceva ogni singolo quartiere
di Parigi, ogni singola via, eppure lì si sentiva spro-
fondare in un mondo diverso, dove la gente aveva
reazioni imprevedibili.

Come viveva Félix Nahour fino a poche ore prima? Che rapporti aveva esattamente con quel segretario che segretario non era, con la moglie, con i due figli? Perché i bambini erano sulla Costa Azzurra, e perché...

I perché erano talmente tanti che era costretto a procedere per gradi. Non c'era niente di chiaro, niente di ben definito. Niente si svolgeva come nelle altre famiglie, nelle altre case.

Ed era anche lo stesso malessere che aveva provato la notte prima il dottor Pardon quando una strana coppia aveva fatto irruzione nel suo studio di medico di quartiere.

La storia del colpo di pistola sparato da un'auto in corsa non stava in piedi, così come non stava in piedi quella dell'anziana signora che avrebbe indicato la casa del dottore.

Félix Nahour, con i suoi libri di matematica e le sue liste di colpi vincenti o perdenti nei vari casinò, non apparteneva a nessuna delle categorie a lui note, e pure Fouad Ouéni sembrava uscito da un altro mondo.

Aveva l'impressione che tutto, lì, fosse falso, che tutti mentissero, e mentre salivano le scale Lapointe disse qualcosa che rafforzò quella impressione:

«Mi chiedo, capo, se alla ragazza non manca qualche rotella. Da quello che dice, quando si degna di rispondere, e da come mi guarda, sembra una con l'ingenuità e il cervello di una bambina di dieci anni. Ma mi chiedo se per caso non sta facendo la furba, e ci sta prendendo in giro».

Poi, entrando nella camera della signora Nahour, dove Nelly non si era mossa dalla sedia foderata di seta, aggiunse:

«A proposito, capo, i figli sono più grandi di quando è stata scattata la foto. Adesso la bambina ha cinque anni e il maschietto due».

«Sai dove abitano con la governante?».

«A Mougins, alla Pension des Palmiers».

«Da molto tempo?».

«Se non ho capito male, il maschio è nato a Cannes e a Parigi non ci ha mai messo piede».

La cameriera li guardava con i suoi occhi chiari, trasparenti, e sembrava che non capisse una parola di quanto stavano dicendo.

«In un cassetto che mi ha indicato Nelly ho trovato altre fotografie: una dozzina dei figli, da neonati e poi più grandicelli, una di Nahour e sua moglie sulla spiaggia, quand'erano più giovani, probabilmente all'epoca in cui si sono incontrati... E poi una foto della signora Nahour con un'amica, vicino a un canale di Amsterdam...».

L'amica era brutta, con il naso schiacciato e gli occhi troppo piccoli, eppure il suo viso risultava aperto e simpatico.

«Le uniche lettere che ho trovato nella stanza sono in olandese e il mittente è una ragazza. Sono state scritte più o meno nell'arco di sette anni, e l'ultima risale a una decina di giorni fa».

«Nelly non è mai andata in Olanda insieme alla signora?».

«Lei sostiene di no».

«E la signora Nahour ci tornava spesso?».

«Ogni tanto... E sempre da sola, pare... Ma non sono poi così sicuro che, anche in inglese, Nelly capisca bene le mie domande...».

«Cerca un traduttore per queste lettere... Cosa dice a proposito di ieri sera e di stanotte?».

«Niente. Lei non sa niente. Non è poi tanto grande, questa casa, ma a quanto pare nessuno sa mai quello che fanno gli altri. La ragazza dice che forse la signora Nahour ha cenato fuori...».

«Da sola? Non è venuto qualcuno a prenderla? Non ha fatto chiamare un taxi?...».

«Dice che non lo sa...».

«Non ha aiutato la signora Nahour a vestirsi?».

«È quello che le ho chiesto anch'io, e lei ha risposto che la signora non ha suonato... Nelly ha mangiato in cucina, come al solito, poi è salita in camera sua, ha dato un'occhiata a un giornale olandese ed è andata a letto... Mi ha mostrato il giornale: è dell'altro ieri...».

«Non ha sentito dei passi in corridoio?».

«Non ci ha fatto caso... Dice che quando dorme non la svegliano neanche le cannonate...».

«A che ora prende servizio, la mattina?».

«Non c'è un'ora fissa...».

La ragazza lo guardava con un sorriso vago sulle labbra, e invano Maigret si sforzava di capire cosa ci fosse veramente dietro quella fronte liscia come l'avorio.

«Dille che può andare a fare colazione, ma non deve allontanarsi da questa casa...».

Lapointe tradusse le istruzioni del commissario, dopodiché Nelly si alzò, abbozzò un piccolo inchino da educanda e si avviò con calma verso le scale.

«Quella mente, capo...».

«Come lo sai?».

«Dice di non averci messo piede qui, stanotte. E stamattina gli ispettori di zona le hanno proibito di uscire dalla sua camera. Eppure, non appena le ho chiesto che cappotto indossava la signora, ha risposto senza esitare:

«"Quello di lontra"...

«Il fatto è che gli armadi erano chiusi, e in uno ho trovato una pelliccia di visone e una di astrakan grigio...».

«Prendi la macchina e vai dal dottor Pardon, in

boulevard Voltaire. Mostragli la fotografia che troverai giù da basso, sulla scrivania...».

Il telefono che era nella stanza si mise a squillare. Maigret staccò il ricevitore e udì due voci: il medico legale stava parlando con Ouéni.

«Sì,» diceva quest'ultimo «è ancora qui... Aspetti... Vado ad avvisarlo...».

«Non serve, signor Ouéni» intervenne Maigret. «Le dispiace riagganciare, per favore?...».

Ciò significava che i tre apparecchi, compreso quello del segretario, erano collegati alla stessa linea.

«Pronto, parla Maigret...».

«Sono Colinet... Ho appena cominciato l'autopsia, ma ho pensato che le avrebbe fatto piacere conoscere subito i primi risultati... Non si tratta di suicidio...».

«È un'ipotesi che non avevo nemmeno preso in considerazione...».

«Neanch'io, ma ora possiamo escluderla con certezza... Non sono un esperto di balistica, ma posso anticiparle che, come mi aspettavo, il proiettile che ho rinvenuto nella scatola cranica proviene da un'arma di medio o grosso calibro, una 7,32 o una 45. Direi che il colpo è stato sparato da una distanza di tre o quattro metri, e il cranio è stato perforato...».

«L'ora del decesso?».

«Per stabilirla con esattezza bisognerà che sappia l'ora dell'ultimo pasto e che proceda all'analisi delle viscere...».

«A occhio e croce?».

«Suppergiù a metà nottata...».

«La ringrazio, dottore...».

Lapointe era uscito, e ora in strada si sentiva il motore della sua macchina.

Dal piano di sotto giungeva il brusio di una conversazione in lingua straniera. Maigret tese l'orecchio: era arabo. Scese le scale, e in corridoio trovò Ouéni che parlava con uno sconosciuto, mentre l'ispettore di zona li osservava senza osare intervenire.

Il nuovo arrivato assomigliava a Félix Nahour, ma era più vecchio, più magro e anche più alto. Aveva i capelli scuri, con qualche filo d'argento sulle tempie.

«Il signor Pierre Nahour?».

«Lei è della polizia?» chiese l'uomo con aria diffidente.

«Commissario Maigret, capo della Squadra Omicidi...».

«Che cosa è accaduto a mio fratello? Dov'è il corpo?».

«Suo fratello è stato ucciso stanotte con un colpo di pistola alla gola. Abbiamo trasferito il corpo all'Istituto di medicina legale...».

«Posso vederlo?».

«Dopo».

«Perché non adesso?».

«Perché in questo momento stanno eseguendo l'autopsia... Si accomodi, signor Nahour...».

Era incerto se far entrare nello studio anche Ouéni, ma poi decise di no:

«Le dispiace aspettarci in camera sua?».

Ci fu uno scambio di sguardi tra Ouéni e Nahour, e negli occhi del nuovo arrivato Maigret non lesse alcuna simpatia per il segretario.

Quando la porta si richiuse, il banchiere di Ginevra domandò:

«È successo qui?».

Il commissario gli indicò la vasta macchia di sangue sul tappeto e il suo interlocutore si raccolse per un istante, come avrebbe fatto davanti al corpo.

«Com'è accaduto?».

«Lo ignoro. Pare che sia andato a cena fuori, e nessuno l'ha visto dopo il suo ritorno».

«E Lina?».

«Intende la signora Nahour?... La sua cameriera sostiene che ha cenato fuori anche lei, ma che non è rientrata».

«Non è in casa?».

«Non ha dormito nel suo letto, e si è portata via alcuni effetti personali...».

Pierre Nahour non sembrava sorpreso.

«E Ouéni?».

«Sostiene di essersi recato in un circolo di boulevard Saint-Michel e di aver preso nota dei numeri usciti fino all'una del mattino. Quando è tornato, non si è preoccupato di sapere se il suo padrone fosse in casa o meno, e se n'è andato a dormire. Non ha sentito nulla...».

I due uomini erano seduti l'uno di fronte all'altro. Con gesto automatico il banchiere si era sfilato di tasca un sigaro ma – forse per una sorta di rispetto per il morto, anche se il corpo non c'era più – non si decideva ad accenderlo.

«Non posso esimermi dal farle qualche domanda, signor Nahour, e la prego di scusare la mia indiscrezione. Era in buoni rapporti con suo fratello?».

«In ottimi rapporti, anche se non ci vedevamo spesso».

«Perché?».

«Perché io abito a Ginevra e, quando mi muovo, vado quasi sempre in Libano... Mio fratello, dal canto suo, non aveva alcun motivo di venire nella città dove abito, che per la sua attività era priva di interesse».

«Ouéni ha dichiarato che Félix Nahour non esercitava alcuna professione...».

«Questo è vero solo in parte... Forse, commissario, prima di rispondere alle sue domande farei meglio a fornirle alcune informazioni che la aiuteranno a capire... Mio padre, a Beirut, ha sempre fatto il banchiere... All'inizio l'istituto da lui fondato era di piccole dimensioni e si limitava a finanziare operazioni di import-export, visto che da Beirut passano quasi tutti i prodotti destinati al Medio Oriente... In proporzione al numero di abitanti, a Beirut ci sono più banche che in qualunque altro posto...».

Finalmente si decise ad accendere il sigaro. Come il fratello, aveva mani molto curate, e anche lui portava la fede.

«Noi Nahour siamo cristiani maroniti, e questo spiega i nomi che portiamo... Con il passare degli anni, l'attività di mio padre si è sviluppata tanto da diventare una delle più importanti banche private del Libano...

«Io ho studiato legge alla Facoltà di Giurisprudenza di Parigi, poi all'Istituto di diritto comparato...».

«Prima che venisse qui suo fratello?».

«Félix aveva cinque anni meno di me... Quindi ero più avanti di lui negli studi... Quando è arrivato lui, io avevo quasi finito...».

«Si è trasferito subito a Ginevra?».

«In un primo tempo ho lavorato a Beirut con mio padre, poi abbiamo deciso di aprire una filiale in Svizzera, il Comptoir Libanais, che dirigo io... È una piccola attività, che dà lavoro a cinque impiegati in tutto, gli uffici sono al secondo piano di un palazzo in avenue du Rhône...».

Ora che si trovava di fronte un uomo che, quanto meno in apparenza, parlava in modo diretto, Maigret cercava di mettere a fuoco i vari personaggi.

«Ha altri fratelli?».

«Solo una sorella: il marito è a capo di una filiale come la mia, a Istanbul...».

«Sicché tutti e tre insieme, lei, suo padre e suo cognato, controllate una buona fetta del commercio libanese?».

«Diciamo un quarto o, più modestamente, un quinto...».

«E suo fratello Félix non prendeva parte all'attività familiare?».

«Era il più giovane... Si è messo anche lui a studiare legge, ma senza entusiasmo, e più che altro frequentava le salette interne delle brasserie attorno all'università... Aveva scoperto di essere un asso al poker, e passava le notti a giocare...».

«È lì che ha incontrato Ouéni?».

«Non so se quell'uomo – che non è maronita, ma musulmano – abbia effettivamente avuto un'influenza nefasta su Félix, ma sarei propenso a crederlo... Ouéni era molto povero, come gran parte di coloro che vengono dalle zone di montagna... Era costretto a lavorare per pagarsi gli studi...».

«Da alcune scoperte che ho fatto in questa stanza, deduco che suo fratello è diventato giocatore di professione...».

«Se la si può chiamare una professione. Un bel giorno abbiamo scoperto che aveva abbandonato gli studi di legge per frequentare dei corsi di matematica alla Sorbona... Per diversi anni lui e mio padre non si sono parlati...».

«E lei?».

«Io lo vedevo di tanto in tanto... All'inizio ho dovuto anticipargli dei soldi...».

«Che le sono stati restituiti?».

«Fino all'ultimo centesimo. Non creda, dopo quanto le ho detto, che mio fratello fosse un fallito.

I primi mesi, forse i primi due o tre anni, sono stati duri, ma poi ha iniziato a guadagnare somme considerevoli, ed è diventato più ricco di me, ci scommetterei...».

«Si è riconciliato con suo padre?».

«Sì, abbastanza presto... Noi maroniti abbiamo un forte senso della famiglia...».

«Suo fratello giocava soprattutto nei casinò, suppongo».

«Sì. A Deauville, a Cannes, a Évian, e d'inverno a Enghien. Per un paio d'anni, prima di Castro, è stato consulente tecnico, e credo anche socio, del Casinò dell'Avana... Quando giocava non si affidava al caso, ma metteva a frutto i suoi studi di matematica...».

«Lei è sposato, signor Nahour?».

«Ho moglie e quattro figli, di cui uno ventiduenne che studia a Harvard».

«Quando si è sposato suo fratello?».

«Aspetti... Era l'anno in cui... Sette anni fa».

«Conosce la moglie?».

«Ho avuto occasione di conoscerla, naturalmente...».

«L'aveva incontrata prima del matrimonio?».

«No... In famiglia credevamo tutti che Félix fosse uno scapolo incallito...».

«Come ha saputo che si era sposato?».

«Ho ricevuto una lettera...».

«Sa dove è stato celebrato il matrimonio?».

«A Trouville, dove Félix aveva affittato una villa...».

Il volto di Pierre Nahour si era un po' rabbuiato.

«Che tipo di donna è, sua cognata?».

«Non saprei cosa risponderle».

«Perché?».

«Perché l'ho vista soltanto due volte».

«Suo fratello è venuto a presentargliela a Ginevra?».

«No. Un giorno che mi trovavo a Parigi per affari li ho incontrati al Ritz, dove alloggiavano all'epoca».

«Ed è mai andato in Libano con la moglie?».

«No. Qualche mese dopo, mio padre li ha visti a Évian, dove passava le acque».

«Suo padre approvava quel matrimonio?».

«Mi è difficile rispondere al posto di mio padre».

«E lei?».

«Non era affar mio».

Ecco che si ripiombava nella vaghezza, nelle risposte approssimative, o ambigue.

«Sa dove si sono conosciuti, suo fratello e la futura moglie?».

«Félix non me lo ha mai detto, ma non ci voleva molto a indovinarlo. L'anno prima, a Deauville aveva avuto luogo il concorso per l'elezione di Miss Europa... Félix era sul posto, perché al casinò si puntava grosso e il banco perdeva quasi ogni sera... Il titolo l'ha vinto un'olandese di diciannove anni, tale Lina Wiemers...».

«Che suo fratello ha sposato...».

«Più o meno un anno dopo... Prima hanno viaggiato parecchio, loro due, anzi loro tre, perché Félix non muoveva un passo senza Fouad Ouéni...».

Lo squillo del telefono li interruppe. Maigret sollevò la cornetta e all'altro capo del filo udì la voce di Lapointe.

«Chiamo da casa Pardon, capo... Il dottore ha riconosciuto subito la donna della foto... È proprio quella che ha curato la notte scorsa...».

«Ritorna qui, per favore. Prima però passa al Quai, vedi se c'è Janvier e digli di prendere una macchina e di venire in avenue du Parc-Montsouris. Sennò chiedi a Torrence o a qualcun altro».

Poi riagganciò.

«Le chiedo scusa, signor Nahour... Devo farle un'ultima domanda, più indiscreta, e dopo capirà il perché... Sa se suo fratello e sua cognata andavano d'accordo?».

Il volto del suo interlocutore si raggelò istantaneamente.

«Sono spiacente, ma non posso dirle nulla... Non mi sono mai immischiato nella vita coniugale di mio fratello...».

«La sua camera era al piano terra e quella della moglie al primo... A quanto mi risulta da alcune testimonianze a dir poco reticenti, consumavano i pasti separatamente e uscivano di rado insieme...».

Pierre Nahour non batté ciglio, ma arrossì lievemente.

«Il personale di questa casa si riduce a una donna di servizio, Fouad Ouéni, il cui ruolo non è del tutto chiaro, e una cameriera olandese che parla solo la sua lingua materna e l'inglese...».

«Oltre all'arabo, mio fratello parlava il francese, l'inglese, lo spagnolo e l'italiano, nonché un po' di tedesco».

«Ouéni preparava la colazione del signor Nahour, e Nelly Velthuis quella della signora. Lo stesso valeva per il pranzo, quando mangiavano a casa, senonché il più delle volte marito e moglie cenavano fuori, ma ciascuno per conto proprio...».

«Non sono al corrente...».

«Dove sono i suoi figli, signor Nahour?».

«Ma... a Ginevra, naturalmente. Per l'esattezza a otto chilometri da Ginevra, nella nostra villa...».

«I figli di suo fratello vivono sulla Costa Azzurra con una governante...».

«Félix andava spesso a trovarli e trascorreva a Cannes una parte dell'anno...».

«E la moglie?».

«Andava a trovarli anche lei, suppongo...».

«Non le è mai arrivata voce che sua cognata avesse un amante, o magari più di uno?».

«Non frequentiamo lo stesso ambiente...».

«Proverò a ricostruire per lei, signor Nahour, gli avvenimenti di questa notte, o perlomeno quel che ne sappiamo... Un po' prima dell'una, suo fratello è stato colpito alla gola da un proiettile sparato da una pistola di grosso calibro: non appena il perito balistico ci manderà il rapporto sapremo di che arma si tratta, e probabilmente anche la marca... Quando è stato ucciso era in piedi dietro la scrivania...

«Il fatto è che anche suo fratello, come l'aggressore, impugnava un'arma: una pistola 6,35 con il calcio di madreperla che teneva abitualmente nel cassetto di destra della scrivania, cassetto che abbiamo trovato semiaperto...

«Ignoro quante persone ci fossero nella stanza, ma so per certo che sua cognata era presente...».

«Come fa a esserne sicuro?».

«È stata ferita da un colpo sparato con la 6,35. Le dice niente un medico di nome Pardon, che abita in boulevard Voltaire?».

«È un quartiere che conosco poco, e questo nome non l'ho mai sentito».

«Invece doveva averlo sentito sua cognata, o l'uomo che l'accompagnava...».

«Intende dire che in questa stanza c'era un altro uomo?».

«Non posso affermarlo con sicurezza... Prima della scena che si è svolta qui, o forse dopo, la signora Nahour ha preso una o più valigie e vi ha cacciato in tutta fretta qualche vestito e un po' di biancheria...

Poi, avvolta in una pelliccia di lontra, è scesa con il suo accompagnatore da un'Alfa Romeo rossa davanti al 76 bis di boulevard Voltaire, e pochi minuti dopo i due hanno suonato alla porta del dottore...».

«E l'uomo chi era?».

«Tutto quel che ne sappiamo è che ha circa venticinque anni ed è cittadino colombiano...».

Pierre Nahour rimase impassibile, non ebbe neppure un fremito.

«Non ha idea di chi potrebbe essere?» inquisì Maigret guardandolo negli occhi.

«Nessuna» rispose asciutto Nahour levandosi il sigaro di bocca.

«Sua cognata era stata ferita alla schiena, ma non era in pericolo di vita. Il dottor Pardon l'ha curata. Il colombiano ha raccontato una storia rocambolesca secondo cui la signora Nahour, che lui sosteneva di non conoscere, era stata aggredita a pochi metri da lui da uno o più individui a bordo di un'auto, i quali le avrebbero sparato dal finestrino...».

«Dov'è ora?».

«Con ogni probabilità, ad Amsterdam... Mentre il medico si lavava le mani e si toglieva il camice sporco di sangue, i due si sono dileguati... Abbiamo ritrovato le loro tracce a Orly, dove è tuttora parcheggiata la macchina rossa e due passeggeri, una donna di nazionalità olandese e un uomo di nazionalità colombiana rispondenti ai connotati della coppia, si sono imbarcati sul volo per Amsterdam...».

Maigret si alzò e andò a svuotare la pipa in un posacenere. Poi ne prese di tasca un'altra e si mise a caricarla.

«Io ho giocato a carte scoperte, signor Nahour... Mi aspetto da lei la stessa franchezza... Torno nel mio ufficio al Quai des Orfèvres... Uno dei miei ispettori resterà qui per assicurarsi che né la donna di servizio né Ouéni né la signorina Nelly si allontanino senza essere autorizzati...».

«E io?».

«Vorrei che rimanesse qui anche lei: non appena avranno ultimato l'autopsia, la chiamerò per il riconoscimento del corpo. È soltanto una formalità, ma una formalità necessaria...».

Maigret andò a piazzarsi davanti alla vetrata. La neve continuava a cadere e, per quanto scendesse meno fitta, il cielo non accennava a schiarire. Due utilitarie nere della Polizia giudiziaria si accostarono al marciapiede: da una smontò Lapointe, dall'altra Janvier. Entrambi attraversarono il giardino, dopodiché si udì aprirsi la porta che dava in corridoio.

«Forse, signor Nahour, quando ci rivedremo potrà dirmi qualcosa di più sui rapporti tra sua cognata e suo fratello, ed eventualmente su quelli che la signora intratteneva con altri uomini...».

Pierre Nahour non rispose e, in silenzio, lasciò che il commissario se ne andasse.

«Tu, Lapointe, resta qui... Io corro al Quai con Janvier...».

Si avvolse la sciarpa intorno al collo e s'infilò il cappotto.

Mancavano dieci minuti a mezzogiorno quando Maigret, sprofondato nella sua poltrona, ottenne finalmente la linea con Amsterdam.

«Keulemans?... Pronto!... Parla Maigret, da Parigi...».

Il capo della Squadra Omicidi di Amsterdam, Jef Keulemans, era ancora giovane, aveva appena quarant'anni, ma per via della figura allampanata da studente, del colorito roseo e dei capelli biondi ne dimostrava dieci di meno.

In occasione di un suo stage a Parigi, durante il quale Maigret gli aveva mostrato gli ingranaggi della Polizia giudiziaria, i due uomini erano diventati buoni amici, e di tanto in tanto capitava che si rincontrassero a un congresso internazionale.

«Benone, caro Keulemans, grazie... Anche mia moglie, sì... Come?... Il porto è completamente ghiacciato?... Si consoli: Parigi sembra una pista di pattinaggio, e sta ricominciando a nevicare...

«... Pronto!... Senta, ho un favore da chiederle... Mi perdoni se la chiamo solo per questo... Non a titolo ufficiale, sia chiaro... Primo, perché non ho il tempo di seguire tutta la trafila burocratica per fare le cose in regola... Poi, perché non ho in mano elementi sufficienti...

«La notte scorsa, due persone su cui sto indagando sono sbarcate da un volo della KLM che è partito da Orly verso le tre del mattino... Un uomo e una donna... È possibile che abbiano fatto finta di non essere insieme... L'uomo, che ha un passaporto colombiano, è sui venticinque anni... La donna, di origine olandese, si chiama Evelina Nahour, nata Wiemers, e ogni tanto trascorre brevi periodi ad Amsterdam, dove ha vissuto da giovane...

«Avranno dovuto compilare ciascuno la propria carta di sbarco, che suppongo ritroverà all'aeroporto...

«La signora Nahour non ha un domicilio in Olanda, però ad Amsterdam ha un'amica, tale Anna Keegel: sul retro delle sue lettere risulta un indirizzo in Lomanstraat... Le dice qualcosa?...

«Bene... No, non le sto chiedendo di arrestarli... Semplicemente, se rintraccia la signora Nahour, potrebbe informarla che il marito è morto e che la aspettano per l'apertura del testamento?... Le dica anche che a Parigi è arrivato il cognato... Non nomini la polizia...

«Nahour è stato assassinato, sì... Una pallottola in gola... Come dice?... Probabilmente è già al corrente, ma potrebbe anche darsi che non lo sappia ancora: in quest'inchiesta mi aspetto di tutto.

«Mi raccomando, non la spaventi... E nel caso l'amico fosse ancora con lei, lasciatelo in pace... Se invece si sono separati, immagino che la signora gli telefonerà per informarlo della sua visita...

«Mi fa davvero una cortesia, Keulemans... Vado a casa per pranzo, e nel pomeriggio aspetto una sua chiamata in ufficio... Grazie...».

Approfittò della linea diretta per telefonare alla moglie.

«Cosa c'è da mangiare?» le chiese non appena la sentì all'altro capo del filo.

«Ho fatto una choucroute, ma pensavo già di doverla riscaldare stasera, se non addirittura domani!».

«Fra mezz'ora sono lì».

Scelse una pipa fra quelle allineate sulla scrivania e si mise a caricarla avviandosi lentamente lungo il corridoio. Giunto quasi in fondo, bussò alla porta del commissario Lardois, che dirigeva il nucleo di Polizia dei giochi e delle scommesse. Essendo entrati alla Giudiziaria più o meno contemporaneamente, i due uomini si davano del tu.

«Ciao, Raoul...».

«Che ti è successo per ricordarti della mia esistenza?... Il tuo ufficio è a venti metri dal mio, e ho l'onore di una tua visita sì e no una volta all'anno...».

«Potrei dire lo stesso di te...».

Era pur vero che si incontravano tutte le mattine, in una sede certo più istituzionale: l'ufficio del direttore della Polizia giudiziaria, dove andavano a farre rapporto.

«Le mie domande ti sembreranno ingenue, ma ti confesso che di gioco d'azzardo ne so meno di zero... Tanto per cominciare, esistono davvero giocatori di professione?».

«I direttori dei casinò rientrano in questa definizione, visto che, in sostanza, giocano contro la clientela... Quando tengono il banco a due tavoli, capita che si mettano in società al cinquanta per cento con un giocatore specializzato, talvolta con un'associazione... Questo per quanto riguarda i professionisti riconosciuti...

«Altri, ma non sono molti, vivono esclusivamente delle vincite al gioco per un periodo più o meno lungo, o perché sono baciati dalla fortuna, o perché dispongono di mezzi consistenti e di una notevole esperienza...».

«È possibile giocare scientificamente?».

«Pare di sì. Anche se sono rari, esistono giocatori che, tra il momento in cui il mazziere dà le carte e quello in cui devono decidere se chiederne ancora, riescono a fare complicati calcoli probabilistici...».

«Hai mai sentito parlare di un certo Félix Nahour?».

«È noto a tutti i croupier di Francia e del mondo... Lui appartiene alla seconda categoria, anche se per un certo periodo, all'Avana, ha tenuto il banco del Tout va in società con un'associazione americana...».

«Onesto?».

«Se non lo fosse, sarebbe schedato da un pezzo e nelle sale da gioco non potrebbe mettere piede... Capita solo nei piccoli casinò di trovare il baro di mezza tacca, che peraltro si fa pizzicare subito...».

«Cosa mi dici di Nahour?».

«Anzitutto che ha una gran bella moglie, una Miss qualcosa che ho incontrato più di una volta a Cannes e a Biarritz... Poi, che a un certo punto si è messo in società con un gruppo mediorientale...».

«Un'associazione di giocatori?».

«Più o meno... Immagina dei giocatori che non vogliono o non possono giocare in proprio... Un professionista che si mette contro il banco, per esempio a Cannes, o a Deauville, deve poter contare su un bel gruzzolo per tener duro finché la fortuna non gira dalla sua parte... In altre parole, deve giocare alla pari con il casinò, che dispone di riserve praticamente inesauribili...

«Ecco perché si costituiscono delle associazioni, che funzionano come delle società finanziarie, ma che agiscono con maggior discrezione...

«C'è stato un periodo in cui un'associazione sudamericana mandava ogni anno a Deauville un suo operatore, che è riuscito più volte a mettere il banco in difficoltà...».

«Nahour ha sempre un'associazione alle spalle?».

«Dicono che ormai cammini con le proprie gambe, ma è impossibile saperlo con certezza...».

«Un'ultima informazione... Conosci il Cercle Saint-Michel?».

Dopo una breve esitazione, Lardois rispose:

«Sì... Mi è capitato di farci qualche retata...».

«E come mai è ancora aperto?».

«Non mi dirai che Nahour va a giocare lì?».

«No, ma il suo segretario factotum ci fa le ore piccole un paio di volte a settimana...».

«Chiudo un occhio perché me l'hanno chiesto quelli dei Servizi... È un circolo frequentato perlopiù da studenti stranieri, soprattutto dai molti orientali che abitano nel quartiere... È un buon posto per tenerli sotto controllo, e quelli ne approfittano... Ci sono stati casini?».

«No».

«Nient'altro?».

«No».

«Nahour è coinvolto in qualche brutta storia?».

«È stato ucciso stanotte».

«In un circolo?».

«A casa sua».

«Mi racconterai?».

«Quando ne saprò di più».

Venti minuti dopo Maigret sedeva a tavola di fronte alla moglie e si gustava un'appetitosa chou-croute all'alsaziana come, a Parigi, la sanno fare solo in un paio di ristoranti. La pancetta, in particolare, era squisita, e per l'occasione il commissario aveva stappato qualche bottiglia di birra di Strasburgo.

Al di là dei vetri la neve continuava a cadere, ed era un vero piacere starsene lì al calduccio anziché esser costretti ad avventurarsi su marciapiedi scivolosi come il porto di Amsterdam.

«Stanco?».

«Non tanto».

Poi, dopo un attimo di silenzio, aggiunse sbirciando la moglie con un lampo di malizia negli occhi:

«In fondo, un poliziotto farebbe meglio a non sposarsi».

«Per non dover tornare a casa a mangiare la choucroute?» lo rimbeccò lei prontamente.

«No, ma perché avrebbe bisogno di frequentare tutti gli ambienti, di conoscere i casinò, per esempio, i banchieri internazionali, i libanesi maroniti e quelli musulmani, i bistrot stranieri del Quartiere latino e di Saint-Germain, e pure i giovani colombiani. Per non parlare poi della lingua olandese e dei concorsi di bellezza...».

«Pensi che te la caverai lo stesso?».

Sorrideva, perché a poco a poco Maigret aveva perso la sua aria preoccupata.

«Staremo a vedere...».

Alzandosi da tavola si sentì appesantito: aveva fatto troppo onore al pranzo e alla birra. Che bello sarebbe stato, dopo quella notte praticamente in bianco, potersi stendere sul letto e schiacciare un pisolino, cullato dagli andirivieni della signora Maigret per la casa!

«Te ne vai già?».

«Aspetto la telefonata di Keulemans da Amsterdam...».

Anche lei lo conosceva, perché l'olandese aveva cenato da loro in più di un'occasione. Questa volta il commissario chiamò un taxi, e come al solito scese ad aspettarlo sul ciglio del marciapiede. Janvier era già rientrato in ufficio.

«Chiamate per me?».

«Solo Lapointe. Visto che in frigo non c'era quasi niente da mangiare, il fratello di Nahour gli ha chiesto il permesso di far portare qualcosa da una rosticceria lì vicino. Lapointe non ha avuto niente da ridire e l'altro, per ricambiare, l'ha invitato a sedersi a tavola con loro. I due ispettori di zona sono tornati in commissariato. L'agente di guardia all'ingresso ha ricevuto il cambio... Ah, dimenticavo... La cameriera olandese non ha nemmeno toccato il pranzo: si è preparata una tazzona di cioccolata e ci ha inzuppato dentro fette di pane e burro...».

«Nahour e Ouéni hanno mangiato a tavola insieme?».

«Questo Lapointe non me l'ha detto...».

«Dovresti andare in boulevard Saint-Michel... Troverai un certo Bar des Tilleuls... Al primo piano c'è una bisca camuffata da circolo privato... A quest'ora

73

il circolo è chiuso, ma per salirci si deve passare dal bar...

«Di' al padrone che ti manda Lardois e che non sei lì per procurargli delle noie... Cerca solo di sapere se Fouad Ouéni è stato al circolo la notte scorsa e, nel caso, a che ora è arrivato e a che ora se n'è andato...

«Al ritorno, passa dal Petit Beyrouth, in rue des Bernardins, un ristorante di proprietà di un tale Boutros. Félix Nahour era uno dei suoi clienti più assidui. Chiedigli se ha cenato lì ieri sera, se era solo, quand'è stata l'ultima volta che ci è andato con la moglie, se c'è stato un periodo in cui li vedeva sempre insieme... E via di seguito. Guarda tu cosa riesci a cavarne...».

La posta del mattino, che Maigret non aveva ancora aperto, giaceva impilata sul sottomano, accanto alle pipe. Il commissario allungò il braccio per prendere una busta, sbadigliò e decise di rimandare l'incombenza a dopo. Poi sprofondò nella poltrona, chinò il capo e chiuse gli occhi.

Lo squillo del telefono lo svegliò di soprassalto, ma questa volta nessuno lo scuoteva per la spalla e non gli toccò difendersi. L'orologio a pendolo segnava le tre e mezzo.

«Il commissario Maigret?... Pronto!... Parlo con il commissario Maigret in persona?...».

La centralinista aveva un accento delizioso.

«Qui Amsterdam... Resti in linea... Le passo il commissario Keulemans...».

Si udì qualche scatto e poi la voce perennemente allegra del poliziotto olandese dal fisico allampanato.

«Maigret?... Sono Keulemans... Non avrebbe potuto affidarmi incarico più facile... Naturalmente all'aeroporto c'erano le carte di sbarco... Non ho nemmeno dovuto scomodarmi... Mi hanno dettato il contenuto per telefono... Per quanto riguarda la donna, si tratta proprio di Evelina Nahour, nata Wiemers, domiciliata a Parigi in avenue du Parc-Montsouris... È più giovane di quanto pensasse... Ha solo ventisette anni... È nata effettivamente ad Amsterdam, ma si è trasferita giovanissima insieme ai genitori quando il padre è stato nominato vicedirettore di un caseificio a Leeuwarden, in Frisia...».

«L'ha vista?».

«Sì. È dalla sua amica, Anna Keegel. Da ragazze hanno vissuto insieme per diverso tempo dopo che Lina, a diciassette anni, ha ottenuto dai genitori il permesso di cercarsi un impiego ad Amsterdam...

«Ha lavorato prima come centralinista in un'agenzia di viaggi, poi come segretaria presso un noto studio medico, e infine come modella per una sartoria... Anna Keegel, invece, non ha mai cambiato posto: è operatrice meccanografica nella grande fabbrica di birra di cui le ho mostrato i depositi quel giorno che eravamo in barca sull'Amstel...».

«Che reazione ha avuto Lina Nahour quando le ha annunciato la morte del marito?».

«Prima di tutto volevo dirle che l'ho trovata a letto e che il medico l'aveva appena visitata...».

«Ha accennato alla ferita?».

«No. Mi ha detto solo che era molto stanca».

«Niente che segnalasse la presenza dell'amico?».

«Nell'appartamento ci sono soltanto una grande camera da letto, un bagno e una cucina, quindi l'avrei visto... È rimasta un po' in silenzio, poi ha chiesto:

«"Di che cosa è morto?".

«Le ho riposto che non lo sapevo, ma che occorreva la sua presenza per l'apertura del testamento».

«E lei cos'ha detto?».

«Che, se il suo stato glielo consentiva, sperava di partire con il volo di domani mattina, sebbene il medico le abbia prescritto di stare a riposo... Per ogni evenienza, ho lasciato uno dei miei uomini nei paraggi... Detto fra noi, può stare tranquillo...».

«E il colombiano?».

«Vicente Alvaredo, ventisei anni, nato a Bogotá, studente, domiciliato a Parigi in rue Notre-Dame-des-Champs...».

«L'ha trovato?».

«Senza problemi. Anche questo resti fra noi, ma avevo messo sotto controllo la linea telefonica dell'appartamento in Lomanstraat... Lina Nahour ha sollevato il ricevitore appena sono uscito di là... Ha chiesto l'Hotel Rembrandt, dopodiché le hanno passato Alvaredo... Ho qui il testo stenografato della conversazione... Vuole che glielo legga?».

Maigret si rammaricava soltanto di non poter reggere la cornetta e caricarsi al tempo stesso una pipa, e non riusciva a distogliere lo sguardo da quelle che, allineate in bell'ordine, occhieggiavano dalla scrivania.

«Comincia così:

«"Vicente?".

«"Sì. È venuto il dottore?".

«"Mezz'ora fa, e ha creduto a quello che gli ho detto. Ha medicato la ferita e mi ha messo dei punti di sutura. Deve tornare domattina. È venuto anche un altro, uno della polizia, un tipo molto alto, gentilissimo, per annunciarmi che mio marito era morto...".»

Keulemans fece una pausa.

«Noterà, Maigret, che a questo punto l'uomo non ha fatto domande.

«"Il notaio ha bisogno di me per aprire il testa-

mento. Ho promesso di prendere l'aereo domattina".

«"Pensi di farcela?"».

«"Ho soltanto trentotto di febbre... E da quando
il medico mi ha dato certe pastiglie di non so cosa,
non sento quasi più male".

«"Posso venire a trovarti oggi pomeriggio?"».

«"Sì, ma non troppo presto perché vorrei dormire. La mia amica ha chiamato in ufficio e si è data
malata... Pare che un terzo del personale sia a letto
con l'influenza... Mi cura bene...".

«"Sarò lì verso le cinque..."».

Altra pausa.

«Tutto qui, Maigret. Hanno cominciato la conversazione in inglese e l'hanno proseguita in francese. C'è qualcos'altro che posso fare?».

«Vorrei sapere se Lina salirà su quell'aereo e, nel
caso, a che ora arriverà a Orly... E vorrei che mi te-
nesse informato su Alvaredo, naturalmente...».

«Ma che resti fra noi!» aggiunse Keulemans.

E concluse allegramente la telefonata alla manie-
ra dei collaboratori di Maigret:

«Arrivederci, capo!».

4

Fu un pomeriggio fiacco, nell'ufficio surriscaldato, e Maigret finì col caricarsi, l'una dopo l'altra, tutte le sei o sette pipe allineate sulla sua scrivania. Più o meno in ogni inchiesta c'è, a un dato momento, quella che il commissario amava chiamare una fase di buca, in cui cioè si è raccolto un certo numero di elementi che non è ancora possibile utilizzare senza aver prima effettuato i dovuti controlli.

È un momento calmo e al tempo stesso irritante, perché si è tentati di almanaccare ipotesi e trarre conclusioni che rischiano poi di rivelarsi sbagliate.

Se avesse assecondato la propria inclinazione, se non si fosse detto e ridetto che il compito di un commissario capo non è di correre a destra e a manca come un segugio, Maigret avrebbe fatto tutto da solo, come ai tempi in cui era ancora ispettore.

Invidiava Keulemans, ad esempio, perché aveva visto con i suoi occhi Lina Nahour e l'amica bruttina nell'appartamento di Amsterdam in cui avevano vissuto insieme anni addietro.

Avrebbe anche voluto trovarsi al posto di Lapointe nella casa di avenue du Parc-Montsouris, e passare l'intera giornata a curiosare, a fiutare gli angoli, ad aprire cassetti a casaccio, a osservare Fouad Ouéni, Pierre Nahour e la sconcertante Nelly, che forse era meno infantile di quanto volesse far credere.

Non aveva un piano prestabilito. Andava avanti lasciandosi guidare dal caso, e soprattutto guardandosi bene dal formarsi un'opinione.

Bussarono alla porta e, quando il commissario vide affacciarsi la domestica dei Pardon, le sorrise.

«Buongiorno, signor Maigret...».

Per lei, infatti, non era il commissario della Polizia giudiziaria, ma l'ospite che andava da loro una volta al mese.

«Ho qui il rapporto. Il signor Pardon mi ha molto raccomandato di consegnarglielo personalmente...».

Il medico l'aveva battuto con due dita sulla sua vecchia macchina per scrivere, disseminandolo di cancellature, lettere saltate, parole attaccate.

Chissà se Pardon aveva cominciato a redigerlo la notte prima, dopo che lui se n'era andato, o ne aveva buttato giù un paio di righe per volta, fra un paziente e l'altro... Mentre dava una rapida scorsa al testo, Maigret sorrise ancora di più nel constatare con quanta meticolosità vi si era applicato l'amico, che visibilmente si era sforzato di non tralasciare alcun dettaglio, quasi si trattasse di una diagnosi medica.

Ma presto le sopracciglia del commissario si corrugarono di nuovo: erano appena venuti ad annunciargli che un nugolo di giornalisti lo attendeva in corridoio. Maigret ebbe un momento di esitazione, poi borbottò:

«Fateli entrare...».

Erano in cinque più due fotografi, e tra i reporter c'era anche il giovane Maquille, che ad onta dei suoi vent'anni e della faccia da cherubino, era il più agguerrito dei cronisti parigini.

«Cosa ci dice del caso Nahour?».

Ma guarda! Era già diventato il caso Nahour! Un titolo che quasi certamente avrebbero ritrovato su tutti i giornali.

«Ben poco, ragazzi. Non siamo che agli inizi».

«Secondo lei Nahour si è suicidato?».

«Assolutamente no. Anzi, abbiamo la prova del contrario, giacché la pallottola che gli ha trapassato la gola e si è conficcata nella scatola cranica non è dello stesso calibro dell'arma trovata sotto il corpo».

«Che sarebbe quindi la pistola che impugnava lui quando l'hanno ucciso?».

«Probabilmente sì. E dato che prevedo già la prossima domanda, vi dico subito che non so chi si trovasse nella stanza in quel momento».

«E nella villa?» ribatté il giovane Maquille.

«Al primo piano, in una camera piuttosto distante dallo studio, dormiva una giovane cameriera olandese, Nelly Velthuis. Pare abbia il sonno pesante e non abbia sentito niente».

«Non c'era anche un segretario?».

Dovevano aver intervistato i vicini, e addirittura i negozianti del quartiere.

«Fino a prova contraria il segretario, Fouad Ouéni, si trovava fuori ed è rincasato dopo l'una e mezzo. È salito subito a dormire, senza entrare nello studio».

«E la signora Nahour?».

«Non c'era».

«Prima o dopo la tragedia?» rilanciò l'implacabile Maquille, che soppesava attentamente le parole.

«È un punto ancora oscuro».

«Ma è vostra intenzione fare chiarezza?».

«Certo, su questo come su altri punti».

«Anche sull'eventualità che si tratti di un delitto politico?».

«Per quanto ne sappiamo, Félix Nahour non s'interessava di politica».

«Ma suo fratello, a Ginevra?».

Erano già arrivati ben più lontano di quel che si sarebbe immaginato.

«La sua banca non serviva da copertura per altre attività?».

«Correte troppo per me».

A ogni buon conto Maigret si proponeva di verificare che Pierre Nahour fosse effettivamente arrivato a Parigi con il volo della mattina. Fin lì, niente permetteva di escludere che non vi si trovasse già il giorno prima.

«L'arma trovata sotto il corpo della vittima aveva sparato?».

Il commissario rispose senza sbilanciarsi:

«È nelle mani dei periti, e non ho ancora ricevuto il rapporto. Ora che ne sapete più o meno quanto me, gradirei, col vostro permesso, rimettermi al lavoro. Prometto che vi convocherò non appena ci saranno delle novità».

Sapeva benissimo che Maquille avrebbe appostato un collega in corridoio per sorvegliare il suo ufficio e prender nota degli andirivieni.

«Un'ultima domanda...».

«No, ragazzi! Ho molto da fare e non posso concedervi altro tempo».

Se l'era cavata meglio del previsto. Tirò un sospiro e sognò una bella birra fresca, ma non se la sentì di farne portare su una dalla Brasserie Dauphine.

«Pronto!... Lapointe?... Come vanno le cose lì?».

«C'è sempre la stessa atmosfera lugubre. La donna di servizio è furibonda perché non le lasciamo fare le pulizie. Nelly è sdraiata sul letto e legge un libro giallo in inglese. Pierre Nahour non si è mosso dallo studio, dove sta controllando la corrispondenza e i documenti che ha trovato nei cassetti».

«Ha fatto telefonate?».

«Solo una, a Beirut, per avvertire il padre, il quale ha detto che cercherà di trovare un posto sul prossimo volo».

«Puoi passarmelo?».

«È qui accanto a me».

Maigret udì la voce del banchiere ginevrino.

«Mi dica...».

«Sa se suo fratello aveva un notaio a Parigi?».

«Félix me ne ha parlato l'ultima volta che ci siamo incontrati, tre anni fa, e mi ha confidato che, se fosse venuto a mancare, avremmo trovato il suo testamento presso il notaio Leroy-Beaudieu, in boulevard Saint-Germain. Il caso vuole che sia una mia vecchia conoscenza: per un certo periodo siamo stati compagni di studi all'università, ma poi ci siamo persi di vista».

«Suo fratello le ha rivelato il contenuto del testamento?».

«No. Ma mi ha lasciato intuire con una certa amarezza che, nonostante le accuse di nostro padre, era pur sempre un Nahour».

«Ha trovato qualcosa nelle carte che sta esaminando?».

«Sono soprattutto fatture, da cui risulta evidente che mia cognata non si occupava dei fornitori, tanto che persino per i conti del macellaio e del droghiere lasciava l'incombenza a mio fratello. Ho trovato anche i rapporti più o meno quotidiani in cui la governante dà notizie dei bambini, il che dimostra l'attaccamento di Félix per i figli. E poi inviti, lettere di croupier e direttori di casinò...».

«Senta, signor Nahour, non è più necessario che resti lì. È libero di andare dove vuole, purché non si allontani da Parigi. Se prende una camera in albergo...».

«Non intendo farlo. Dormirò nella stanza di mio fratello. Può darsi che esca, se non altro per mangiare un boccone».

«Mi potrebbe ripassare l'ispettore?... Pronto!... Lapointe?... Ho appena dato a Nahour il permesso di entrare e uscire a suo piacimento. Lo stesso non vale per Ouéni; e anche la cameriera, preferisco che non si allontani dalla villa...

«La donna di servizio può andare a fare la spesa, e poi, se vuole, può tornarsene a casa.

«Manderò un collega a darti il cambio nel tardo pomeriggio. A dopo...».

Maigret fece capolino nella stanza degli ispettori: ce n'era una quindicina, e tutti si davano da fare: chi batteva a macchina un rapporto, chi parlava al telefono.

«Qualcuno di voi se la cava in inglese?».

Ci fu uno scambio di sguardi e, nel silenzio generale, Baron alzò timidamente la mano:

«La avverto però che ho una pessima pronuncia».

«Tra le cinque e le sei andrai a sostituire Lapointe in avenue du Parc-Montsouris per il turno di notte. Ti darà lui istruzioni».

Quando ritornò nel suo ufficio, Maigret vi trovò Janvier che, con il cappotto ancora addosso, aveva portato con sé un po' dell'aria gelida di fuori.

«Ho visto il proprietario del Bar des Tilleuls, un tipo corpulento, con l'aria mezzo addormentata, ma che secondo me è più furbo di quanto sembra.

Dice di non aver niente a che spartire con il circolo del primo piano, tenuto da un certo Pozzi, tranne il fatto che i clienti devono passare dal suo locale...

«Il bar è pieno tutte le sere dalle otto fin verso mezzanotte per via della televisione.

«Ieri c'era ancora più gente perché trasmettevano degli incontri di catch. Lui non ha visto arrivare Ouéni, ma l'ha visto andarsene intorno all'una e un quarto...».

«Sicché Ouéni potrebbe essere arrivato al circolo in qualsiasi momento prima dell'una e un quarto ed essersi fermato solo pochi minuti?».

«È possibile. Se lei è d'accordo, stasera ci farei ancora un salto per interrogare Pozzi e i croupier, e magari anche qualche cliente abituale».

Maigret aveva una gran voglia di andarci anche lui. E fu quasi tentato, ma poi si convinse che, dopo una notte pressoché in bianco e con la mole di lavoro che lo aspettava l'indomani, avrebbe fatto meglio a riposarsi.

«E il ristorante?».

«È un locale piccolissimo, capo, e con un odore di cucina orientale così forte che mi girava la testa. Boutros è grasso come un pallone, con delle cosce enormi che lo costringono a camminare a gambe larghe. A quanto pare non sapeva niente di quel che è successo la notte scorsa, perché quando gli ho detto della morte di Nahour è scoppiato a piangere.

«"Il mio miglior cliente!... Un fratello!..." ha gridato. "Sì, ispettore, per me quell'uomo era come un fratello... Pensi che veniva a mangiare qui che era ancora studente, e spesso gli facevo credito per settimane... Ma una volta diventato ricco non si è dimenticato del povero Boutros, e quando era in città veniva a cenare da me quasi ogni sera...

«"Guardi! Questo nell'angolo era il suo tavolo, vicino al bancone..."».

«Non ti ha parlato della signora Nahour?».

«Quello è una vecchia scimmia, uno che fa un sacco di smorfie ma intanto non ti perde d'occhio un secondo... Ha decantato a lungo la bellezza della signora Nahour, la sua dolcezza, la sua gentilezza...

«"E niente affatto superba, ispettore!... Sia quando entra che quando esce, non manca mai di stringermi la mano..."».

«Quand'è stata l'ultima volta che l'ha vista?».

«Non se lo ricorda... Si mantiene sul vago... Agli inizi lei lo accompagnava più spesso che non negli ultimi tempi, questo sì... Era una bella coppia, molto innamorata... Sono sempre stati molto innamorati... No, tra loro non è successo niente ma, si capisce, lei doveva occuparsi della casa, dei bambini...».

«Non sa che i bambini vivono nel Midi?».

«O non lo sa, o finge di non saperlo...».

Maigret non riuscì a trattenere un sorriso. Ce ne fosse stato uno che non mentiva, in quell'inchiesta! Tutto era cominciato la notte prima dai Pardon con quella storia campata in aria del colpo sparato da un'auto e dell'anziana signora che aveva indicato la casa del medico.

«Un momento!» disse il commissario a Janvier. «Devo fare una telefonata. Tu resta qui...».

Chiamò di nuovo Lapointe.

«La donna di servizio se n'è già andata?».

«Mi sembra di sentire che si sta preparando».

«Ti dispiace passarmela?».

Dopo una lunga attesa, udì una voce femminile apostrofarlo sgarbatamente:

«Cosa vuole ancora?».

«Farle una domanda, signora Bodin. Da quanto tempo abita nel XIV arrondissement?».

« Non vedo cosa c'entri questo... ».

« Posso informarmi in commissariato, dove avranno registrato la sua iscrizione ».

« Da tre anni... ».

« E prima dove abitava? ».

« In rue Servan, nell'XI... ».

« A quel tempo, le è mai capitato di ammalarsi? ».

« I miei malanni non sono affari suoi... ».

« Ma si è fatta curare dal dottor Pardon? ».

« Quello sì che è un brav'uomo, uno che pensa solo a guarire la gente, invece di fare tante domande... ».

Ecco risolto un piccolo mistero che tormentava il commissario dalla notte precedente.

« Ha finito? Posso andare a fare la spesa? ».

« Un'ultima cosa... Lei aveva simpatia per il dottor Pardon... Immagino, quindi, che le sarà capitato di raccomandarlo a qualche suo conoscente... ».

« Può anche darsi... ».

« Cerchi di ricordare... A chi ha parlato di lui nella casa in cui lavora adesso?... ».

Ci fu un silenzio piuttosto lungo, e attraverso l'apparecchio Maigret sentiva il respiro dell'anziana donna.

« Non lo so ».

« Alla signora Nahour? ».

« Non è mai stata malata ».

« Al signor Ouéni? Alla cameriera? ».

« Ma se le sto dicendo che non mi ricordo nemmeno di averne parlato! E adesso, se non sono neanche più libera di andare a fare la spesa, non vi rimane altro che arrestarmi... ».

Maigret riagganciò. La pipa si era spenta e, mentre ne caricava un'altra, domandò a Janvier di chiamare Orly.

«Chiedi all'ispettore se quello che è arrivato poco dopo le undici era un volo Air-France o Swissair».

Janvier eseguì.

«Swissair?...» ripeté nel ricevitore. «Un momento...».

«Fatti passare l'ufficio di registrazione dei passeggeri in arrivo...».

«Pronto!... Può cortesemente...».

Pochi istanti dopo Maigret aveva chiarito un altro punto. Pierre Nahour era effettivamente arrivato quella mattina da Ginevra a bordo di un Metropolitan sul quale aveva trovato posto all'ultimo minuto.

«E adesso, capo?».

«Come vedi, faccio le dovute verifiche... Sai a che ora ha cenato Nahour ieri sera?».

«Verso le otto e mezzo... Se ne è andato poco dopo le nove e mezzo... Ha mangiato dell'agnello, e poi un dolce con le mandorle e l'uvetta...».

«Vai nell'altro ufficio e trasmetti l'informazione al dottor Colinet, che ne ha bisogno per stabilire l'ora del decesso...».

Anche Maigret si mise a cercare un numero di telefono, quello del notaio Leroy-Beaudieu, un nome che gli suonava familiare. Quando fu in linea con lui, lo sentì esclamare:

«Qual buon vento, caro commissario? Erano secoli che non avevo il piacere di vederla o di sentirla...».

Poi, soccorrendo Maigret, che frugava nella memoria:

«Il caso Montrond, rammenta?... Quel mio vecchio cliente, la cui moglie...».

«Sì, sì...».

«Cosa posso fare per lei?».

«A quanto ho saputo, presso di lei ha fatto testamento un certo Félix Nahour...».

«È così... Circa due anni fa il signor Nahour ha annullato il precedente e ne ha redatto uno nuovo...».

«Sa perché ha cambiato volontà?».

Ci fu un silenzio imbarazzato.

«È una faccenda delicata, e lei mi mette in una posizione difficile... Il signor Nahour non si è mai confidato con me... Quanto al contenuto del testamento, lei sa che sono vincolato al segreto professionale... Se può esserle di aiuto, le dirò soltanto che si trattava di motivi puramente personali...».

«La notte scorsa Félix Nahour è stato ucciso nel suo studio».

«Ah! Sui giornali non è uscito niente».

«Uscirà qualcosa nelle prossime edizioni».

«Avete arrestato l'assassino?».

«Per il momento sono emerse solo alcune ipotesi contraddittorie. C'è una cosa che, suppongo, lei potrà dirmi: non è piuttosto frequente che, quando il marito fa testamento, la moglie rediga contemporaneamente il proprio?».

«Mi è capitato, in qualche occasione».

«E per quanto riguarda i Nahour?».

«No. La moglie non l'ho mai vista, né ho mai avuto contatti con lei. È una ex reginetta di bellezza, vero?».

«Già».

«Quando verrà celebrato il funerale?».

«Non lo so: il corpo è ancora nelle mani del medico legale».

«Di solito convochiamo gli interessati a esequie avvenute. Crede che ci vorrà molto tempo?».

«È possibile».

«La famiglia è al corrente?».

«Sì. Il fratello, Pierre Nahour, è arrivato a Parigi stamattina. Il padre, invece, a mezzogiorno era ancora a Beirut e deve essersi imbarcato sul primo volo».

«E la signora Nahour?».

«La aspettiamo per domattina».

«Senta, caro commissario, manderò le convocazioni stasera stessa. Le va bene dopodomani pomeriggio?».

«Mi farebbe una cortesia».

«Gradirei aiutarla, per quanto è in mio potere, senza infrangere le regole della professione. Tutto quel che posso dirle è che, se la signora Nahour sapeva del primo testamento, rimarrà spiacevolmente sorpresa alla lettura del secondo. Le sono stato utile?».

«Molto. La ringrazio, caro notaio».

Frattanto Janvier era tornato nell'ufficio di Maigret.

«Ci sono novità» mormorò il commissario con aria perplessa. «Se ho ben capito, la signora Nahour era la principale beneficiaria del primo testamento. Circa due anni fa, il marito ne ha redatto un secondo, e sono pronto a scommettere che le lascia solo il minimo previsto per legge».

«Crede che sia stata lei a...».

«Dimentichi che, finché l'inchiesta non è conclusa, io non credo mai niente».

Poi, con un sorriso scettico:

«E a volte nemmeno dopo...».

Quello era decisamente il pomeriggio delle telefonate.

«Chiamami la Pension des Palmiers, a Mougins».

Si frugò nelle tasche e ne cavò un foglietto su cui aveva annotato il nome della governante.

«Chiedi se c'è la signorina Jobé».

Dopodiché, sentendosi le membra intorpidite per esser stato seduto troppo a lungo, si alzò e andò a piazzarsi davanti alla finestra. I fiocchi di neve cominciavano a scendere meno fitti. Le strade erano già illuminate da un pezzo, e su quelle di maggior traffico i lampioni erano rimasti accesi tutto il giorno.

Sul pont Saint-Michel un ingorgo bloccava completamente la circolazione, e tre vigili in uniforme cercavano di districare il groviglio di macchine e autobus a colpi di fischietto.

«Pronto! Parlo con la signorina Jobé?... Un momento, prego... Le passo il commissario Maigret... No... Della Polizia giudiziaria di Parigi...».

Maigret afferrò la cornetta e rimase in piedi, con una coscia sulla scrivania.

«Pronto, signorina Jobé... I bambini sono lì con lei, non è vero?... Come dice?... Non ha potuto portarli fuori perché piove e fa freddo?... Si consoli: a Parigi c'è tanta di quella neve che non si circola quasi più...

«Volevo sapere se aveva notizie del signor Nahour... L'ha chiamata ieri?... Verso che ora?... Le dieci del mattino... Sì, capisco... Telefona sempre prima della passeggiata serale... Aveva un motivo particolare per chiamarla?... Niente di particolare... Lo fa abitualmente un paio di volte a settimana...

«E la signora Nahour?... Meno spesso?... Una volta?... Passano anche quindici giorni fra una telefonata e l'altra?...

«No, signorina... Le sto facendo queste domande perché la notte scorsa il signor Nahour è stato ucciso... No, non abbiamo arrestato nessuno... Posso chiederle da quanto tempo lavora per la famiglia?... Cinque anni?... Quindi fin dalla nascita della prima figlia...

«Purtroppo in questo momento non mi è possibile venire a Mougins... Forse sarò costretto a mandare una rogatoria perché la Polizia giudiziaria di Cannes verbalizzi la sua deposizione... Ma no!... Non si preoccupi... Capisco benissimo la sua situazione...

«Senta... Quando è entrata a servizio da loro, i Nahour viaggiavano molto, giusto?... Sì... Tra Cannes, Deauville, Évian... Il più delle volte affittavano una villa per diverse settimane o per tutta la stagione... E lei li seguiva?... Spesso?... Sì, la sento perfettamente...

«Ha alloggiato al Ritz insieme a loro e alla bambina... Poi, tre anni dopo, è nato il maschietto... È così?... Mi dica, non è un bambino cagionevole che abbia bisogno di un clima più mite rispetto a quello di Parigi, no?... Se non sbaglio, adesso ha due anni... Ed è un terremoto...

«La prego... Faccia pure!... Rimango in linea...».

Intanto riferì a Janvier:

«I bambini stanno bisticciando nella stanza accanto... Sembra proprio una gran brava ragazza... È una che parla chiaro, senza peli sulla lingua... Purché duri!... Pronto!... Sì... Quindi, il signor Nahour si occupava dei figli più di quanto non facesse la moglie... Ed era al padre che lei mandava ogni giorno notizie dei bambini...

«Ha mai notato una certa tensione fra marito e moglie?... Difficile a dirsi, lo so... Ognuno aveva la propria vita... E lei non lo trovava strano?... Solo all'inizio?... Poi non ci faceva più caso, certo...

«Venivano a trovarli insieme?... Raramente?... Le sono molto grato per l'aiuto... È tutto quel che sa, capisco benissimo... La ringrazio, signorina...».

Maigret mandò un gran sospiro e riaccese la pipa che aveva lasciato spegnere.

«E adesso, il supplizio... Anche se, in fondo, lo dico per abitudine. Il giudice Cayotte è proprio una persona gentile».

Prese dalla scrivania il rapporto del suo amico Pardon e si avviò senza fretta al Palazzo di Giustizia, ufficio dei giudici istruttori. A Cayotte non avevano concesso una delle stanze ammodernate, e il suo studio assomigliava a certe descrizioni dei romanzi dell'Ottocento.

Anche il cancelliere sembrava uscito da un disegno di Forain o di Steinlen, e lo si immaginava volentieri con le soprammaniche di stoffa lucida.

Sul pavimento c'erano pile di fascicoli che non avevano trovato posto negli scaffali di legno verniciato di nero, e alla lampada che pendeva sopra la scrivania del magistrato mancava il paralume.

«Si accomodi, Maigret... Dunque?...».

Il commissario non tentò nemmeno di barare. Per più di un'ora restò inchiodato su una sedia scomoda a snocciolare tutto quel che sapeva. Quando alla fine se ne andò, il fumo della sua pipa e quello delle sigarette che il giudice aveva fumato una dietro l'altra formavano una nebbia densa attorno alla lampadina.

Sebbene il volo da Amsterdam non dovesse arrivare prima delle nove e cinquantasette, alle nove e mezzo del mattino Maigret era già all'aeroporto. Era domenica. Mentre si faceva la barba, aveva sentito la radio raccomandare agli automobilisti di prendere la macchina solo in caso di necessità, perché la crosta di ghiaccio sulle strade era più dura e scivolosa che mai.

Lucas lo aveva accompagnato con un'auto di servizio ed era rimasto ad aspettarlo seduto in macchina. C'era più movimento nelle sale dell'aeroporto che nelle vie di Parigi, e l'aria che vi si respirava era calda, di un calore quasi umano, e faceva affluire il sangue alla testa.

Dopo aver bevuto una birra in uno dei bar, il commissario si sentiva la faccia paonazza e rimpiangeva di aver dato ascolto alla signora Maigret e di essersi imbacuccato con la sciarpa soffocante che lei gli aveva sferruzzato.

Gli altoparlanti annunciarono che il volo da Copenaghen via Amsterdam era in ritardo di una decina di minuti. Maigret si mise a camminare su e giù davanti all'uscita e a osservare i poliziotti che controllavano i passaporti lanciando una rapida occhiata al volto del viaggiatore e apponendo o meno un timbro, a seconda del caso.

Il giorno precedente, verso le otto, Keulemans aveva telefonato in boulevard Richard-Lenoir proprio quando, dopo aver acceso il televisore, il commissario si accingeva a mettersi a tavola.

«Lina Nahour ha prenotato due posti sul volo delle otto e quarantacinque per Orly».

«L'accompagna Alvaredo?».

«No. L'altro posto è per la sua amica Anna Keegel. Il giovanotto, invece, ha prenotato un posto sul volo delle undici e ventidue che arriva a Parigi alle dodici e quarantacinque».

«Si sono telefonati di nuovo?».

«Verso le cinque. Lina Nahour gli ha soltanto comunicato l'ora della partenza, e ha aggiunto che l'amica l'avrebbe accompagnata. Lui ha risposto che avrebbe preso il volo successivo. Quando le ha chiesto come stava, Lina ha detto che si sentiva benissimo e che la febbre le era scesa a trentasette e mezzo».

Finalmente annunciarono l'atterraggio dell'aereo e Maigret andò a incollare la fronte alla vetrata gelida, seguendo con gli occhi il solito viavai attorno all'apparecchio.

In mezzo ai passeggeri – i primi a uscire furono quattro bambini – non riconobbe la moglie di Félix Nahour, e cominciava già a temere che avesse cambiato idea quando avvistò una giovane signora avvolta in una pelliccia di lontra che scendeva appoggiandosi al braccio della compagna.

Anna Keegel, piccola e bruna, indossava un cappotto di lana pesante di un color verde acido.

Quando ormai gli altri passeggeri erano già pigiati a bordo della navetta, l'hostess aiutò Lina a prendervi posto e chiuse prontamente la portiera alle sue spalle.

Scese per ultime dall'aereo, le due donne furono anche le ultime a presentare il passaporto, e Maigret, appoggiato allo sportello, ebbe tutto il tempo di osservarle da vicino.

Era poi davvero così bella, Lina Nahour? Questione di gusti. Aveva la carnagione chiara e luminosa delle nordiche, come gli aveva detto Pardon, il nasino a punta e occhi blu porcellana.

Quella mattina aveva i lineamenti tirati e sembrava reggersi in piedi a fatica.

Quanto ad Anna Keegel, era di una bruttezza simpatica e, anche se il momento non era dei più allegri, le si leggeva in faccia che era una dalla risata facile.

Il commissario le seguì a distanza fino alla dogana, dove attesero alcuni minuti una valigia verde e una seconda, di qualità inferiore, che quasi certamente apparteneva ad Anna.

Un facchino si incaricò dei bagagli e, quando fu sul ciglio del marciapiede, chiamò un taxi con un cenno della mano. Intanto Maigret montava in auto accanto a Lucas.

«Sono loro?».

«Sì. Non lasciarti seminare».

Non fu difficile, perché l'autista del taxi guidava con prudenza, e ci mise tre quarti d'ora per arrivare in avenue du Parc-Montsouris.

«Credeva che fossero dirette da un'altra parte?».

«Non credevo un bel niente. Volevo essere sicuro. Appena si fermano, accosta dietro di loro e aspettami».

Le due donne scesero dal taxi e, prima di avviarsi al cancello del giardino, Lina Nahour alzò lo sguardo verso la casa, parve esitare, e alla fine si lasciò sospingere dall'amica.

Maigret le sorpassò e giunse per primo ai piedi della scalinata.

«Lei chi è?» lo interrogò Lina corrugando le sopracciglia.

Aveva un lievissimo accento straniero.

«Commissario Maigret. Dirigo l'inchiesta sulla morte di suo marito. Devo chiederle il permesso di seguirla all'interno...».

Anche se non protestò, lei parve innervosirsi e si strinse ancor di più nella pelliccia. Il tassista portò i bagagli e li posò in cima ai gradini, e Anna Keegel aprì la borsetta per pagare la corsa.

Il corpulento Torrence, che faceva il turno di giorno, aprì la porta senza dire una parola, e anche a lui Lina rivolse uno sguardo più stupito che preoccupato.

Si capiva che non sapeva bene cosa fare né dove andare, incerta se salire in camera sua o entrare nello studio.

«Dov'è il corpo?» domandò a Maigret.

«All'Istituto di medicina legale».

Si sentì forse sollevata all'idea che non fosse più lì? Parve rabbrividire, ma era così tesa che ogni suo

movimento era più che altro una contrazione invo-
lontaria.

Alla fine si avviò verso lo studio, ed era sul punto
di ruotare il pomolo della porta quando il battente
si aprì dall'interno e comparve Pierre Nahour, che
rimase meravigliato nel trovare in corridoio una piccola folla.

«Buongiorno, Pierre...» disse lei tendendogli la
mano.

Fu un'impressione o ci fu davvero un attimo di ti-
tubanza da parte del banchiere di Ginevra? Comunque sia, l'uomo finì col tendere a sua volta la mano.

«Dov'è successo?».

Pierre Nahour si fece da parte ed entrarono tutti
fuorché Torrence, che rimase in corridoio.

«Qui... Dietro la scrivania...».

Lina avanzò di qualche passo, incerta, e non appena scorse la macchia di sangue stornò lo sguardo.

«Com'è stato?».

«Gli hanno sparato».

«È morto sul colpo?».

Pierre Nahour si mostrava calmo e piuttosto freddo con la cognata, e la osservava senza che il suo volto tradisse alcun sentimento.

«Non si sa... La donna di servizio l'ha trovato così
quando è arrivata ieri mattina...».

Anna Keegel si rese conto che l'amica si reggeva a
stento e la condusse a una poltrona dove Lina si sedette con cautela, giacché la schiena doveva dolerle
parecchio. Poi la giovane donna fece segno che voleva una sigaretta, e Anna Keegel gliene passò una
già accesa.

Nella stanza calò un silenzio imbarazzante. Lo
stesso Maigret provava un certo disagio dinanzi allo
stato di prostrazione fisica, e probabilmente anche

morale, della signora Nahour, i cui nervi dovevano essere tesi allo spasimo.

«Ha sofferto?» chiese lei.

«Non si sa» ribatté secco Pierre Nahour.

«A che ora è... successo?».

«Presumibilmente fra mezzanotte e l'una...».

«In casa non c'era nessuno?».

«Fouad era al circolo e Nelly dormiva... Dice di non aver sentito niente...».

«È vero che devo assistere a una riunione dal notaio?».

«Sì, mi ha telefonato... È per domani pomeriggio... Mio padre è arrivato stanotte e sta riposando all'Hôtel Raspail...».

«E adesso cosa faccio?» domandò lei senza rivolgersi a nessuno in particolare.

Il silenzio che seguì era ancora più opprimente dei precedenti. Poi risuonò la risposta di Anna Keegel, in olandese.

«Credi?...» replicò Lina in francese. «Sì. Forse è meglio... Non avrei il coraggio di dormire in questa casa...».

Cercò Maigret con lo sguardo.

«Prendo una stanza in albergo, la mia amica e la cameriera verranno con me...».

Non chiedeva l'autorizzazione, come avrebbe fatto una sospetta, ma annunciava semplicemente la sua decisione.

Quindi si rivolse nuovamente al cognato:

«Nelly è di sopra? E la signora Bodin dov'è?».

«Non è venuta. Nelly è in camera sua».

«Salgo a prendere qualche vestito e un po' di biancheria... Vieni ad aiutarmi, Anna?».

Rimasti soli, i due uomini si guardavano senza dire una parola.

«Come ha reagito suo padre, signor Nahour?».

«Piuttosto male... È venuto a Parigi con mia sorella, e ora sono andati tutti e due in albergo a riposare... Sono stato io a insistere perché non rimanessero qui...».

«Lei invece resta?».

«Sì, preferisco... Comincia a farsi un'idea della personalità dell'assassino, signor Maigret?».

«E lei?».

«Non so... Perché non ha interrogato mia cognata?...».

«Aspetto che si sistemi in albergo. Non credo che per il momento sia in grado di sopportare altro...».

Erano entrambi in piedi e Pierre Nahour aveva uno sguardo duro.

«Vorrei farle una domanda» disse Maigret con voce sommessa. «Lei ha letto la corrispondenza di suo fratello e ha avuto occasione di parlare a quattrocchi con Ouéni... Quell'uomo non sembra disposto a collaborare con noi... Forse, con lei...».

«Ho cercato di cavarne qualcosa, ieri sera, ma senza ottenere granché...».

«La cerchia dei potenziali colpevoli potrebbe essere piuttosto ristretta. A una condizione...».

«Quale?».

«Poniamo che, come gli era già successo in passato, suo fratello negli ultimi tempi giocasse anche per conto di un'associazione, e non solo in proprio come supponeva lei...».

«Capisco benissimo dove vuole andare a parare, signor commissario, e la prego di non perdere tempo dietro a simili congetture... Félix era un uomo onesto, come tutti i Nahour... Anzi, era talmente scrupoloso da diventare pignolo, ed è proprio scorrendo la sua corrispondenza che me ne sono reso conto...

«Mi rifiuto di pensare che abbia sottratto anche

un solo centesimo all'associazione con cui lavorava, e che sia stato quindi vittima di una vendetta...».

«Sono lieto di sentirglielo dire... Le chiedo scusa, ma le mie funzioni non mi consentono di trascurare alcuna ipotesi... Forse è stata la presenza di Ouéni in casa di suo fratello a suggerirmi l'idea...».

«Non la seguo...».

«Non trova che la posizione di quell'uomo sia piuttosto ambigua?... Non era propriamente il segretario del signor Nahour, né il suo domestico personale, e nemmeno l'autista, ma non era neppure un suo pari... Di qui a pensare che potesse svolgere il ruolo di sorvegliante, di rappresentante dell'associazione...».

Pierre Nahour abbozzò un sorriso ironico.

«Se non fosse lei a dirmelo, le risponderei che ha letto troppi romanzi gialli... Le ho parlato del senso della famiglia per i libanesi... La famiglia non finisce con i parenti più o meno stretti, ma può includere un vecchio servitore, o un amico cui abbiamo aperto le porte di casa e che consideriamo come uno di noi...».

«Lei avrebbe scelto Ouéni?».

«No... Prima di tutto perché non mi sta simpatico, poi perché mi sono sposato presto e mia moglie mi basta... Non dimentichi che invece Félix è rimasto celibe fino a trentacinque anni... Noi pensavamo tutti che non si sarebbe mai sposato...».

«Permette?».

Maigret aveva sentito un rumore di passi sulle scale e andò ad aprire la porta. Lina si era cambiata d'abito e ora indossava la pelliccia di visone. Nelly Velthuis la seguiva portando una valigia, con lo sguardo assente, e Anna Keegel, anche lei carica di bagagli, chiudeva il corteo.

«Pierre, le dispiacerebbe chiamarmi un taxi?... Non avrei dovuto lasciare andar via l'altro...».

Poi guardò Maigret con aria interrogativa, e il commissario le chiese:

«In quale albergo alloggerà?... Al Ritz?...».

«Oh, no! Troppi ricordi... Aspetti... Come si chiama quello vicino a place Vendôme, all'angolo con rue de Rivoli...».

«L'Hôtel du Louvre?».

«Ecco... Andremo all'Hôtel du Louvre...».

«Più tardi sarò costretto a disturbarla perché ho alcune domande da farle...».

«Il taxi sta arrivando...».

Era quasi mezzogiorno. Di lì a poco sarebbe toccato a Janvier recarsi a Orly per aspettare Alvaredo e metterglisi alle costole.

«Arrivederci, Pierre... A che ora è, domani, l'appuntamento dal notaio?».

«Alle tre. Studio Leroy-Beaudieu, in boulevard Saint-Germain...».

«Non stia a segnarselo» intervenne Maigret. «Le darò io l'indirizzo in albergo...».

Ci volle un po' di tempo per sistemare nel taxi i bagagli e le tre passeggere. Sul marciapiede, Lina rabbrividiva visibilmente e si guardava intorno come se quel luogo, che pure conosceva bene, le fosse diventato estraneo.

Pierre Nahour aveva richiuso la porta. A Maigret sembrò di scorgere una tenda muoversi al primo piano, e avrebbe giurato che la finestra fosse quella di Ouéni.

Il commissario montò in auto accanto a Lucas e ordinò:

«Seguile... Vanno all'Hôtel du Louvre, ma preferisco esserne sicuro... Per il momento non credo di aver sentito uno straccio di verità, in questa faccenda...».

100

Le strade erano deserte come nel mese di agosto, senza nemmeno i pullman dei turisti. Il taxi si fermò davanti all'Hôtel du Louvre. Lina e l'amica entrarono per prime, probabilmente per accertarsi che ci fossero camere libere. Pochi minuti dopo un addetto ai bagagli uscì a prendere le valigie, mentre la cameriera dava uno sguardo al tassametro e pagava la corsa.

«Vai a parcheggiare e poi raggiungimi al bar. Bisogna almeno che le lasci il tempo di salire in camera e di mettersi a suo agio...».

D'altronde, aveva sete.

5

Il bar era poco illuminato e silenzioso. Appollaiati su alti sgabelli, due inglesi muovevano le labbra senza che si udissero le loro parole. Le pareti erano rivestite di pannelli di rovere e, ogni quattro o cinque metri, una lampada a muro di bronzo spandeva una luce soffusa. Una giovane donna se ne stava in un angolo ad aspettare davanti a un cocktail rossastro. Dal lato opposto, quattro uomini si chinavano a turno l'uno verso l'altro.

Anche lì era domenica, un giorno morto, fuori dal tempo reale. Fra le tende color crema si intravedevano a malapena un po' di neve sporca, alberi neri, la testa di un uomo o di una donna che passavano sul marciapiede.

«Guardaroba, signore?».

«Ah sì, certo...».

Era più facile che le sue indagini lo conducessero nei bistrot di quartiere o nei bar chiassosi degli Champs-Élysées che negli alberghi di lusso. Si tolse il cappotto e, liberandosi della pesantissima sciarpa, mandò un sospiro di sollievo.

«Una birra...» ordinò con voce sommessa al barman che lo scrutava come per cercar di ricordare dove aveva già visto la sua faccia.

«Carlsberg, Heineken?».

«Una qualsiasi».

Anche il bravo Lucas fu intercettato dalla signorina del guardaroba.

«Cosa prendi?».

«E lei, capo?».

«Io ho ordinato una birra».

«Allora anche per me».

Sopra una porta aperta, da cui proveniva un lieve acciottolio di stoviglie, occhieggiava a lettere debolmente luminose la scritta «Grill room».

«Hai fame?».

«No, non tanto».

«Sai il numero delle stanze?».

«437, 438 e 439. Due camere e un salottino».

«E Nelly?».

«Dorme in una delle camere. La 437 è una grande stanza a due letti per la signora Nahour e la sua amica...».

«Torno subito...».

Maigret imboccò il vasto corridoio di marmo e si diresse a una porta su cui c'era scritto «Telefono».

«Può passarmi la 437, per favore?».

«Un attimo...».

«Pronto!... Signora Nahour?».

«Chi parla?».

«Commissario Maigret».

«Sono Anna Keegel. La signora Nahour sta facendo il bagno».

«Le chieda se posso passare fra una decina di minuti o se prima vuole pranzare».

L'attesa fu lunga. Il commissario sentiva un mormorio di voci.

«Pronto!... Non ha fame perché ha già mangiato sull'aereo, ma preferirebbe che prima di salire aspettasse mezz'ora».

Pochi minuti dopo Maigret e Lucas varcavano la soglia del grill, e vi ritrovavano la stessa atmosfera ovattata del bar, gli stessi pannelli di rovere e la stessa illuminazione, nonché piccole lampade sui tavoli, solo tre o quattro dei quali erano occupati. Tutti bisbigliavano come in chiesa. Il maître, i capocamerieri e il resto del personale andavano e venivano silenziosi come gli officianti di un culto.

Quando gli venne teso l'enorme menu, il commissario scosse la testa.

«Per me piatto freddo».

«Anche per me».

Il maître corresse:

«Due roast-beef all'inglese».

«E due birre».

«Vi mando il sommelier».

«Ti spiacerebbe dare un colpo di telefono al Quai per avvertirli che siamo qui? Digli di avvertire anche Janvier, che di sicuro sarà ancora a Orly. E comunica il numero della suite».

Tutt'a un tratto si sentiva giù di corda, e Lucas, conoscendolo, si guardava dal far domande inutili.

Il pranzo si svolse quasi in silenzio, sotto l'occhio vigile del maître e dei camerieri.

«I signori prendono il caffè?».

Un uomo in costume turco venne a servirlo con gesti cerimoniosi.

«È meglio se sali anche tu».

Arrivati al quarto piano, trovarono la stanza 437 e bussarono alla porta, ma fu quella della 438 ad aprirsi.

«Da questa parte...» disse Anna Keegel.

Anche lei doveva essersi fatta il bagno o la doccia, perché aveva ancora una ciocca di capelli bagnata.

«Entrate pure... Vado ad avvisare Lina...».

Nel salotto, non molto grande, c'erano solo colori tenui, oggetti dalle sfumature morbide: le pareti grigio chiaro, le poltrone di un azzurro altrettanto pallido, il tavolo verniciato in color avorio. Nella stanza di sinistra si sentiva qualcuno andare avanti e indietro – Nelly Velthuis, probabilmente, che terminava di disfare le valigie.

I due uomini rimasero in piedi ad aspettare per un pezzo, entrambi un po' a disagio; poi finalmente comparvero le due donne. Maigret si meravigliò, perché pensava che Lina Nahour lo avrebbe ricevuto a letto.

La giovane donna si era appena pettinata e non aveva un'ombra di trucco. Indossava una vestaglia di velluto rosa antico.

Aveva un'aria fragile, vulnerabile: se riceverli le costava uno sforzo, non lo dava a vedere, e la sua tensione del mattino sembrava dissolta.

La donna si stupì nel trovarsi di fronte due uomini anziché uno, come si aspettava, e per un momento rimase quasi interdetta, con lo sguardo puntato su Lucas.

«Uno dei miei ispettori» spiegò Maigret.

«Prego, accomodatevi...».

Sedette anche lei sul divano, e l'amica prese posto al suo fianco.

«Mi scusi se la disturbo appena dopo il suo arrivo ma, come lei capirà, ho alcune domande da farle».

Lina si accese una sigaretta, e le dita che reggevano il cerino tremavano leggermente.

«Fumi pure, se vuole».

«La ringrazio» rispose il commissario, ma non caricò subito la pipa.

«Posso chiederle dov'era la notte fra venerdì e sabato?».

«A che ora?».

«Preferirei che mi dicesse come ha trascorso la serata e le ore successive».

«Sono uscita di casa verso le otto».

«Quindi suppergiù alla stessa ora di suo marito?».

«Non so dove fosse lui in quel momento».

«Era sua abitudine andarsene così, senza dirgli dov'era diretta?».

«Avevamo entrambi piena libertà di movimento».

«Ha preso la sua auto?».

«No. Le strade erano ghiacciate e non me la sentivo di guidare».

«Ha chiamato un taxi?».

«Sì».

«Dal telefono in camera sua?».

«Sì, ovviamente».

Parlava come una bambina che recita a memoria la lezione, e al commissario quei suoi occhi innocenti ricordavano qualcosa. Fu solo dopo un po' che gli tornò in mente la cameriera, le sue iridi quasi trasparenti, le sue espressioni infantili.

Ritrovava gli stessi atteggiamenti in Lina, quasi che una delle due avesse copiato l'altra, tanto erano simili certe loro mimiche, come quel vezzo di sbattere rapidamente le ciglia.

«Dove si è fatta portare?».

«In un grande ristorante degli Champs-Élysées, il Marignan» rispose Lina, tradendo una breve esitazione prima di pronunciare il nome.

«Cenava spesso al Marignan?».

«Ogni tanto».

«Da sola?».

«Sì, quasi sempre».

«Dove si è seduta?».

«Nella sala grande».

Che di solito accoglieva un centinaio di clienti, sicché il suo alibi era impossibile da controllare.

«Non l'ha raggiunta nessuno?».

«No».

«Non aveva appuntamento con qualcuno?».

«Sono rimasta sola per tutto il tempo».

«Cioè fino a che ora?».

«Non saprei. Forse le dieci».

«E prima di andarsene non è passata dal bar?».

Lei ebbe di nuovo un attimo di esitazione, poi scrollò il capo.

La più nervosa delle due, adesso, era l'amica, Anna Keegel, che fissava ora Lina, ora il commissario, girando la testa a ogni battuta.

«E dopo?».

«Ho fatto una passeggiata sugli Champs-Élysées, per prendere una boccata d'aria».

«Nonostante i marciapiedi ghiacciati?».

«Li avevano puliti. Poi, più o meno all'altezza del Lido, ho preso un taxi e mi sono fatta riportare a casa».

«E nemmeno allora ha visto suo marito, che era rientrato alle dieci?».

«No, non l'ho visto. Sono salita in camera e ho trovato Nelly che stava finendo di preparare la mia valigia».

«Aveva deciso di partire?».

E lei, con assoluto candore:

«Da otto giorni».

«Per andare dove?».

«Ma... ad Amsterdam, naturalmente».

E disse qualcosa in olandese ad Anna Keegel, la quale si diresse in camera e tornò poco dopo porgendo una lettera. Era datata 6 gennaio e non era scritta né in francese né in inglese.

«Potrà farsela tradurre. Annuncio ad Anna il mio arrivo per il 15 gennaio».

«Aveva già prenotato il volo?».

«Inizialmente avevo pensato di partire in treno. Ce n'è uno alle undici e ventidue».

«Non intendeva farsi accompagnare dalla cameriera?».

«In casa di Anna per lei non c'è posto».

Maigret provava una sorta di ammirazione per il candore e la tranquillità con cui la donna raccontava una bugia dietro l'altra, ed era curioso di stare a vedere fino a che punto sarebbe arrivata.

«E, andando via, non si è fermata al pianterreno?».

«No. Il taxi che mi aveva chiamato Nelly stava già aspettando in strada».

«Non ha salutato suo marito?».

«No. Sapeva che dovevo partire».

«Si è fatta portare alla Gare du Nord?».

«Sì, ma siamo arrivati tardi per via delle strade ghiacciate. E, visto che il treno era già partito, ho detto al tassista di portarmi a Orly».

«Passando per boulevard Voltaire?».

Lina non batté ciglio. Fu la Keegel a tradire un fremito.

«Dov'è?».

«Sono spiacente di doverle rispondere che lo sa quanto me. Chi le ha dato l'indirizzo del dottor Pardon?».

Ci fu un lungo silenzio. Lina si accese un'altra sigaretta, si alzò, fece qualche passo nella stanza e tornò a sedersi. Se era turbata, non lo dava a vedere. Sembrava piuttosto che stesse riflettendo sul da farsi.

«Che cosa sa?» inquisì allora a sua volta, guardando Maigret dritto in faccia.

«Che, mentre eravate entrambi nello studio, suo marito l'ha ferita sparandole con una 6,35 dal calcio di madreperla che custodiva nel cassetto della scrivania, e che un tempo apparteneva a lei».

Con il gomito appoggiato sul bracciolo e il mento nella mano, Lina seguitava a guardare il commissario quasi con curiosità. Aveva l'aria di una brava scolaretta che ascolta la lezione del professore.

«Non se n'è andata di casa in taxi, ma a bordo dell'auto rossa di un suo amico che risponde al nome di Vicente Alvaredo. È stato Alvaredo a portarla in boulevard Voltaire, dove ha raccontato una storia alquanto improbabile secondo cui lei sarebbe stata aggredita da un automobilista sconosciuto...

«Il dottor Pardon le ha fatto una medicazione provvisoria, e lei si è ben guardata dall'aprir bocca. Quindi è ritornata nello studio e, mentre Pardon si sfilava il camice e si lavava le mani, si è dileguata insieme al suo amico...».

«Che cosa vuole da me?».

Non si era persa d'animo. Si sarebbe anzi detto che gli sorridesse, sempre con quell'aria da ragazzina presa con le dita nella marmellata, convinta che per una bugia non sarebbe cascato il mondo.

«La verità».

«Preferisco che mi faccia delle domande».

Altra mossa abile, perché le consentiva di scoprire che cosa già sapeva la polizia. Maigret decise ugualmente di stare al gioco.

«Questa lettera è stata davvero scritta il 6 gennaio? Sappia, prima di rispondere, che con l'analisi dell'inchiostro possiamo verificarlo».

«È stata scritta il 6 gennaio».

«Suo marito era al corrente?».

«Doveva sospettarlo».

«Sospettare cosa?».

«Che presto me ne sarei andata».

«Perché?».

«Perché ormai da tempo la situazione era diventata insostenibile».

«Quanto tempo?».

«Da mesi».

«Da due anni?».

«Forse».

«Da quando ha incontrato Vicente Alvaredo?».

Anna Keegel era sempre più nervosa e, involontariamente o meno, il suo piede urtò la pantofola rosa di Lina.

«Grosso modo».

«Suo marito era a conoscenza della vostra relazione?».

«Non lo so. Può darsi che qualcuno ci abbia visti insieme. Non ci nascondevamo».

«E le sembra normale che una donna sposata...».

«Per modo di dire!».

«Cosa intende?».

«Erano anni che io e Félix vivevamo come due estranei».

«Eppure due anni fa avete avuto un secondo figlio».

«Perché mio marito voleva a tutti i costi il maschio. Fortunatamente non è nata un'altra femmina».

«E quel figlio è di suo marito?».

«Certo che sì. Quando ho incontrato Alvaredo, avevo partorito da poco e cominciavo appena a uscir di casa».

«Ha avuto altri amanti?».

«Che lei ci creda o no, è stato il primo».

«Che programmi aveva per la sera del 14 gennaio?».

«Non capisco».

«Il 6 gennaio ha scritto alla sua amica che sarebbe arrivata ad Amsterdam il giorno 15».

Anna Keegel le disse qualcosa in olandese, ma Lina scrollò la testa con convinzione e continuò a guardare il commissario con aria determinata.

Alla fine Maigret si era acceso la pipa.

«Proverò a spiegarle. Alvaredo voleva che divorziassi per sposarlo. Gli ho chiesto di pazientare una settimana, perché sapevo che non sarebbe stato facile. Non ci sono mai stati divorzi nella famiglia Nahour, e Félix ci teneva a salvare le apparenze.

«Avevamo convenuto che avrei parlato con mio marito il 14 e che, qualunque cosa lui avesse risposto, saremmo partiti subito per Amsterdam».

«Perché Amsterdam?».

Lina sembrò stupirsi della domanda.

«Perché è la città in cui ho trascorso parte della mia infanzia e della mia giovinezza. Vicente non conosceva l'Olanda. Volevo mostrargliela. Una volta ottenuto il divorzio, prima di sposarci saremmo andati a trovare i suoi genitori in Colombia».

«Lei ha un patrimonio personale?».

«Ovviamente no. Ma io e Vicente non abbiamo bisogno dei soldi dei Nahour».

Poi, non senza una punta d'orgoglio un po' puerile, precisò:

«Gli Alvaredo sono più ricchi di loro, e possiedono gran parte delle miniere d'oro della Colombia».

«Capisco... Quindi, erano circa le otto quando è uscita senza dire nulla a suo marito. Alvaredo la aspettava a bordo dell'Alfa Romeo. Dove avete cenato?».

«In un ristorantino di boulevard Montparnasse.

111

Vicente abita a due passi e va a mangiare quasi sempre lì».

«Lei si preoccupava di come avrebbe reagito suo marito nell'apprendere la sua decisione?».

«No».

«E come mai, sapendo che lui era contrario al divorzio?».

«Perché non avrebbe potuto fare niente per trattenermi».

«Suo marito l'amava ancora?».

«Non credo che mi abbia mai amata».

«Perché l'avrebbe sposata allora?».

«Magari per farsi vedere in giro con una donna bella ed elegante. Tutto è cominciato a Deauville, l'anno in cui sono stata eletta Miss Europa. Ci siamo incrociati più volte nell'atrio e nei corridoi del casinò. Una sera che mi trovavo vicino al tavolo della roulette, Félix ha spinto verso di me delle grandi *fiches* rettangolari e mi ha bisbigliato all'orecchio:

«"Giochi il 14"».

«Ed è uscito?».

«Non la prima volta, la terza. È uscito due volte di fila e, quando sono andata a cambiare le *fiches* alla cassa, non avevo mai visto tanti soldi in vita mia».

La situazione si era capovolta. Era la versione di Lina, adesso, a suonare più vera, a sembrare addirittura ovvia.

«Ha fatto in modo di sapere il mio numero di stanza e mi ha mandato dei fiori. Poi ci sono stati gli inviti a cena. Sembrava timidissimo. Si vedeva che non aveva dimestichezza con le donne».

«Eppure aveva già trentacinque anni».

«Mi domando se ne abbia conosciute altre prima di me. Dopodiché mi ha portata a Biarritz».

«Sempre senza pretendere niente...».

«A Biarritz, come a Deauville, Félix passava le

notti al casinò. Finché una volta, verso le cinque del mattino, è entrato in camera mia. Di solito non beveva, ma lì ho sentito subito che il fiato gli puzzava di alcol».

«Era ubriaco?».

«Doveva aver buttato giù un paio di bicchieri per darsi coraggio».

«Ed è successo...».

«Sì. Non è rimasto più di mezz'ora. E, nei cinque mesi successivi, sarà venuto da me una decina di volte in tutto. Però mi ha chiesto di sposarlo. E io ho accettato».

«Perché era ricco?».

«Perché mi piaceva la vita che conduceva, da un albergo all'altro, da un casinò all'altro. Ci siamo sposati a Cannes, ma abbiamo continuato a dormire in stanze separate. Lui voleva così. Era molto pudico. A quei tempi era più grasso, e credo che la cosa gli creasse un certo imbarazzo».

«Era affettuoso con lei?».

«Mi trattava come una bambina. Aveva conservato le abitudini di sempre, si portava dietro Ouéni ovunque andassimo e passava più tempo con lui che con me».

«E lei, che rapporti aveva con Ouéni?».

«Quell'uomo non mi piace».

«Perché?».

«Non saprei. Forse per via dell'ascendente che aveva su mio marito. E magari anche perché è di un'altra razza, e non lo capisco».

«E Ouéni, che atteggiamento aveva nei suoi confronti?».

«Per lui ero trasparente. Sono certa che mi disprezzi profondamente, come disprezza tutto il genere femminile. Un giorno che mi annoiavo, ho chiesto se potevo far venire una cameriera dall'Olanda. Ho messo un annuncio sui giornali di Amsterdam, e ho scelto Nelly perché mi sembrava un tipo allegro».

Lina ora sorrideva, mentre la sua amica era preoccupata per la piega che stava prendendo l'interrogatorio.

«Torniamo a venerdì sera. A che ora è rincasata?».

«Verso le undici e mezzo».

«Fino a quell'ora lei e Alvaredo siete rimasti al ristorante?».

«No. Siamo passati da lui a prendere la valigia. L'ho aiutato a metterci dentro la sua roba, poi abbiamo bevuto qualcosa e fatto due chiacchiere».

«Quando siete arrivati alla villa, Vicente è rimasto in macchina?».

«Sì».

«Lei è entrata nello studio?».

«No. Sono salita in camera mia a cambiarmi. Ho chiesto a Nelly se Félix era da basso e lei mi ha risposto che l'aveva sentito rientrare».

«Le ha detto anche se era solo o con il segretario?».

«Sì, era con il segretario».

«E la sua presenza non costituiva un problema, per lei, in vista della conversazione che avrebbe avuto con suo marito?».

«Ero abituata a vedermelo sempre davanti. Non so che ora fosse quando sono scesa. Mi ero già infilata la pelliccia e Nelly mi seguiva con la valigia. L'ha appoggiata in corridoio e ci siamo salutate».

«L'avrebbe raggiunta in un secondo tempo?».

«Non appena mi fossi fatta viva».

«Quindi Nelly è risalita in camera senza aspettare l'esito del colloquio?».

«Sapeva che avevo preso una decisione e che sarei stata irremovibile».

Il telefono sul tavolino rotondo si mise a squillare e Maigret fece cenno a Lucas di rispondere.

«Pronto!... Sì... È qui... Te lo passo...».

Il commissario aveva già intuito che si trattava di Janvier.

«È arrivato, capo... È a casa sua, in boulevard...».

«Boulevard Montparnasse...».

«Lo sa già? Abita in un monolocale ammobiliato al terzo piano. Io la sto chiamando da un baretto proprio di fronte al palazzo...».

«Tienilo d'occhio... A dopo...».

E Lina, col suo fare disinvolto, come se fosse la cosa più normale del mondo:

«È arrivato Vicente?».

«Sì. È a casa sua».

«Perché la polizia lo sorveglia?».

«Perché è suo compito sorvegliare i sospetti».

«E perché lo sospettate? Lui non ha mai messo piede nella casa di avenue du Parc-Montsouris».

«Questo lo dice lei».

«Non mi crede?».

«Non so bene quando mente e quando dice la verità. A proposito, da chi ha avuto l'indirizzo del dottor Pardon?».

«Da Nelly. Gliel'aveva dato la donna di servizio, che una volta abitava da quelle parti. E io avevo urgente bisogno di un medico, il più lontano possibile da casa...».

«D'accordo!» borbottò poco convinto il commissario, che ormai non dava niente per scontato. «Allora, lei saluta Nelly Verthuis, che si avvia su per le scale. La sua valigia è già pronta in corridoio. A questo punto lei entra nello studio, dove c'è suo marito che sta lavorando insieme a Ouéni».

Lina approvò con un cenno del capo.

« Gli ha annunciato subito che intendeva andarsene? ».

« Sì. Gli ho detto che stavo per partire per Amsterdam, e che il mio avvocato si sarebbe messo in contatto con lui per avviare le pratiche del divorzio ».

« E lui come ha reagito? ».

« Mi ha fissato a lungo senza dire niente, poi ha mormorato:

« "Non è possibile" ».

« Non ha chiesto a Ouéni di lasciarvi soli? ».

« No ».

« Era seduto alla scrivania? ».

« Sì ».

« E Ouéni gli sedeva di fronte? ».

« No. Ouéni era in piedi accanto a lui, con dei fogli in mano. Non ricordo esattamente le parole che ho usato. Tutto sommato, ero abbastanza nervosa ».

« Alvaredo le aveva consigliato di portarsi dietro una pistola? Gliene aveva data una lui? ».

« Per farne cosa? No, non avevo nessuna pistola. Ho detto a Félix che la mia decisione era irrevocabile e che non avrei cambiato idea per niente al mondo. Stavo facendo dietrofront per dirigermi alla porta quando ho sentito uno sparo, e contemporaneamente ho avvertito una fitta alla spalla, come un bruciore.

« Devo essermi voltata indietro, perché ho ancora in mente l'immagine di Félix in piedi, con la rivoltella in mano. Rivedo soprattutto i suoi occhi sbarrati, come se di colpo si rendesse conto del suo gesto ».

« E Ouéni? ».

« Era immobile, accanto a lui ».

« Lei che cos'ha fatto? ».

« Temevo di svenire, e non volevo che accadesse

lì, dove sarei rimasta in balìa di quei due. Mi sono precipitata verso la porta e mi sono ritrovata in strada, davanti alla macchina di Vicente, che mi ha aperto lo sportello».

«Non ha sentito un secondo sparo?».

«No. Ho detto a Vicente di portarmi in boulevard Voltaire, da un medico che conoscevo...».

«E che invece non conosceva affatto...».

«Non era il momento di perdermi in spiegazioni. Stavo malissimo».

«Perché non siete andati a casa di Alvaredo, a due passi da lì, e lui non ha chiamato il suo medico?».

«Per non provocare uno scandalo. Avevo fretta di arrivare in Olanda ed ero convinta che la polizia sarebbe rimasta all'oscuro di tutto. Ecco perché dal dottore non ho aperto bocca: non volevo che si accorgesse del mio accento.

«Non mi aspettavo che ci facesse tante domande. Non sapevo nemmeno che la pallottola fosse rimasta dentro, e credevo che la ferita fosse superficiale. L'importante era fermare il sangue...».

«Che mezzo avevate pensato di utilizzare, lei e Vicente, per arrivare ad Amsterdam?».

«La sua macchina. Ma quando sono uscita dallo studio del medico mi sono sentita troppo debole per affrontare un viaggio così lungo in auto, e Vicente ha avuto l'idea dell'aereo. Mi ricordavo che c'era un volo di notte perché mi era capitato di prenderlo. A Orly abbiamo dovuto aspettare un'eternità, senza nemmeno sapere se l'aereo sarebbe decollato, per via della neve e del ghiaccio.

«Arrivati ad Amsterdam, Vicente mi ha subito portata a casa di Anna in taxi, dopodiché lui è sceso in un albergo che gli ho indicato, in attesa che mi ristabilissi. Fino al divorzio avremmo dormito in camere separate...».

«Onde evitare l'accusa di adulterio?».

«Ormai le precauzioni non erano più necessarie. Dopo quello che aveva fatto, Félix non poteva rifiutarmi il divorzio».

«Sicché per lei, se ho ben capito, quel colpo di pistola si è rivelato un ottimo affare».

Lina lo guardò e, lasciandosi sfuggire un sorriso malizioso, rispose:

«Già».

La cosa più strana era che il suo racconto reggeva, e che veniva voglia di crederle, tanto sembrava candida e sincera quando rispondeva alle domande. Osservando il suo viso, infantile come quello di Nelly Verthuis, Maigret non si stupiva affatto che Nahour la trattasse da bambina, né che Vicente Alvaredo si fosse innamorato di lei al punto da volerla sposare nonostante il marito e i due figli.

Faceva un bel calduccio nel salottino ovattato e accogliente, in cui volentieri ci si abbandonava a una sorta di torpore. Lo stesso Lucas aveva l'aria di un micione che fa le fusa.

«Mi permetto di farle notare un dettaglio, signora Nahour: non c'è nessuno che possa confermare le sue dichiarazioni. Stando alla sua versione dei fatti, al momento del primo sparo nello studio eravate in tre».

«Quindi c'è la testimonianza di Fouad».

«Sfortunatamente per lei, Ouéni sostiene di non essere tornato a casa prima dell'una del mattino, e abbiamo appurato che proprio verso quell'ora usciva da un circolo di boulevard Saint-Michel».

«Mente».

«Lo hanno visto».

«E se ci fosse andato dopo lo sparo?».

«È un punto che cercheremo di chiarire».

«Potete anche interrogare Nelly».

«Ma la signorina non capisce il francese, giusto?».

Lina ebbe un istante di esitazione, poi aggirò la domanda:

«Parla inglese».

A un tratto si vide il corpo massiccio di Maigret raddrizzarsi, raggiungere furtivamente la porta della stanza accanto e aprirla di scatto. Poco ci mancò che la cameriera gli cascasse in braccio, e fu per puro miracolo che riuscì a tenersi in equilibrio.

«È da molto che origlia?».

Lei, confusa, sull'orlo del pianto, scrollò il capo. Al posto del tailleur ora portava un camice di raso nero e un grembiulino bianco con gli orli ricamati, e in testa aveva una cuffietta.

«Ha capito quello che stavamo dicendo?».

Nelly fece segno di sì, poi di no, mentre con occhi imploranti chiamava a soccorso la signora Nahour.

«Capisce un po' il francese,» intervenne lei «ma ogni volta che ha provato a parlarlo, perlopiù nei negozi vicino a casa, l'hanno presa in giro».

«Venga avanti, Nelly. Non resti incollata allo stipite della porta. Da quanto tempo sapeva che venerdì sera la signora Nahour sarebbe partita per Amsterdam?».

«*One week*... Una settimana...».

«Deve rivolgersi a me, non alla signora».

Nelly obbedì a malincuore, ma stentava ancora a guardare il commissario in faccia.

«Quando ha preparato la valigia?».

Si capiva che la ragazza si sforzava di tradurre mentalmente la risposta.

119

«Alle otto...».

«Perché ieri, quando l'ho interrogata, mi ha mentito?».

«Non lo so... Avevo paura...».

«Di che cosa?».

«Non lo so...».

«Qualcuno, in casa, la intimoriva?».

Scosse la testa in segno di diniego e la cuffietta le si mise di traverso sui capelli.

«Dov'era la signora Nahour quando l'ha rivista, intorno alle dieci?».

«In camera sua».

«Chi ha portato giù la valigia?».

«Me».

«E la signora dov'è andata?».

«In studio».

«Dopodiché ha sentito un colpo di pistola?».

«Sì».

«Uno solo o due?».

Lei cercò di nuovo Lina con lo sguardo, poi rispose:

«Uno».

«E non è scesa?».

«No».

«Perché?».

Si strinse nelle spalle, come per dire che non ne aveva idea. Non era una delle due ad aver copiato dall'altra. C'era stato uno scambio reciproco di atteggiamenti e modi di fare, cosicché ora la cameriera sembrava quasi una replica sbiadita di Lina.

«Non ha sentito Ouéni salire in camera?».

«No».

«Si è addormentata subito?».

«Sì».

«E non ha cercato di sapere chi era rimasto ferito, o ucciso?».

«Visto da finestra signora. Sentito la porta e visto signora e la macchina...».

«La ringrazio. Spero per lei che domani, quando verbalizzeremo le sue dichiarazioni, non fornirà un'ulteriore versione dei fatti...».

Era una frase manifestamente troppo lunga e complicata per Nelly, e Lina dovette tradurgliela in olandese. La ragazza diventò paonazza e si affrettò a dileguarsi.

«Quanto appena detto vale anche per lei, signora. Per oggi ho voluto risparmiarle un interrogatorio ufficiale. Ma domani la chiamerò per prendere appuntamento, e io stesso o uno dei miei ispettori verremo a mettere le sue risposte per iscritto».

«C'è un terzo testimone» aggiunse Lina.

«Alvaredo, lo so. Uscendo dall'albergo passerò da lui. L'ispettore Lucas rimarrà qui fino a nuovo ordine, per assicurarsi che non vi serviate del telefono».

Lina non protestò.

«Posso far portare qualcosa da mangiare? Da buona olandese, la mia amica Anna ha sempre fame. Io vado a mettermi a letto».

«Permette che entri un momento in camera sua?».

Nella stanza c'era un notevole disordine, vestiti gettati sul letto alla rinfusa, scarpe sul tappeto. Il telefono era collegato al muro tramite una grossa spina, come quelle degli apparecchi elettrici: Maigret lo staccò e lo portò in salotto, poi fece lo stesso con quello in camera di Nelly.

La ragazza, che era intenta a riporre la biancheria nei cassetti, gli lanciò un'occhiata risentita, come se prima il commissario l'avesse sgridata.

«Vogliate scusare queste precauzioni» disse congedandosi dalle due giovani donne.

E Lina, sorridendo:

«È il suo mestiere, no?».

Il portiere gli chiamò un taxi con un fischio. Dietro le nubi si intravedeva ora un pallido sole. Nei giardini del Luxembourg alcuni bambini si divertivano a scivolare sulla neve, e un paio di loro si era addirittura munito di slittini.

Maigret individuò il bistrot dove Janvier lo stava certamente aspettando, e difatti trovò l'ispettore seduto a un tavolo accanto al vetro appannato, che lui di tanto in tanto puliva con il palmo della mano.

«Una birra...» ordinò stancamente il commissario.

Quell'interrogatorio l'aveva sfinito, e si sentiva ancora addosso il calore umido del salottino.

«È uscito?».

«No. Avrà mangiato sull'aereo. Mi sa che sta aspettando una telefonata».

«E allora l'aspetterà per un pezzo».

Maigret avrebbe potuto seguire l'esempio del collega di Amsterdam e far mettere l'apparecchio sotto controllo ma, forse perché era di vecchio stampo o, più probabilmente, per come era stato educato, quel metodo non gli andava a genio, e vi ricorreva solo con i delinquenti veri.

«Lucas è rimasto all'Hôtel du Louvre. Tu, invece, verrai con me da questo giovanotto che non ho ancora avuto l'onore di conoscere. A proposito, che tipo è?».

La birra lo rinfrescava e lo aiutava a riprendere contatto con la realtà. E che piacere ritrovare il bancone di un bar, la segatura sul pavimento, un cameriere col grembiule blu!

«È un gran bell'uomo, con un'eleganza disinvolta e un'aria un po' distaccata...».

«Ha cercato di capire se lo pedinavamo?».

«Se l'ha fatto, non me ne sono accorto».

«Vieni».

Attraversato il viale, entrarono in un palazzo signorile e si infilarono nell'ascensore.

«Terzo piano» disse Janvier. «Mi sono informato. È da tre anni che abita qui».

Sulla porta non c'era né targa né biglietto da visita: Maigret suonò. Pochi istanti dopo il battente si aprì e apparve un uomo giovane, piuttosto alto e con i capelli corvini, il quale, con grande cortesia, disse:

«Prego, accomodatevi... Vi aspettavo... Il commissario Maigret, suppongo...».

Poi, senza porgere loro la mano, li precedette in un salotto luminoso, con mobili e quadri moderni, e una portafinestra che si affacciava sul viale.

«Non volete darmi i vostri cappotti?».

«Una domanda, signor Alvaredo. Ieri, ad Amsterdam, la signora Nahour le ha telefonato per annunciarle che il marito era morto. Poi l'ha richiamata nel pomeriggio per comunicarle che volo avrebbe preso insieme alla sua amica. Lei è partito da Amsterdam stamattina, e i giornali olandesi di ieri non potevano ancora aver dato notizia del caso».

Alvaredo si voltò e, con fare distaccato, prese dal divano un quotidiano parigino del giorno prima.

«C'è persino la sua foto in terza pagina» sottolineò con un sorriso beffardo.

I due uomini si tolsero il cappotto.

«Cosa posso offrirvi?».

Su un tavolino c'erano diverse bottiglie, e accanto alcuni bicchieri. Uno solo era posato fuori dal vassoio e conteneva ancora un fondo di liquido ambrato.

«Stia a sentire, signor Alvaredo. Prima di passare alle domande, tengo a farle presente una cosa: in questa inchiesta ho incontrato solo persone che hanno dimostrato scarso rispetto nei confronti della verità».

«Si riferisce a Lina?».

«A lei e ad altri che non sto a citarle. Mi dica innanzitutto quand'è stata l'ultima volta che ha messo piede in casa Nahour».

«Lasci che le risponda, signor commissario, che il suo tranello è grossolano – perdoni il termine, ma è il solo che ho trovato. Lei sa perfettamente che in quella casa non ci sono mai entrato, né venerdì sera, né prima».

«Da quel che le risulta, Nahour era al corrente della relazione tra lei e Lina?».

«Non ne ho idea. Tenga conto che l'avrò intravisto, abbastanza da lontano, un paio di volte in tutto, ed era sempre seduto a un tavolo da gioco».

«Conosce Fouad?».

«Lina me ne ha parlato, ma non l'ho mai incontrato».

«Tuttavia, venerdì sera lei non ha fatto niente per nascondersi; anzi, si è messo ad aspettare proprio davanti al cancello a bordo di un'auto alquanto vistosa».

«Nasconderci non serviva più, dal momento che avevamo preso una decisione e che Lina stava per comunicarla al marito».

«E lei non era preoccupato per l'esito di quel colloquio?».

«Perché avrei dovuto esserlo? Se Lina aveva deciso di andarsene, lui non avrebbe certo potuto trattenerla con la forza».

Poi, con una punta di rancore aggiunse:

«Qui non siamo in Medio Oriente».

«Lei ha sentito lo sparo?».

«Ho sentito un colpo sordo che non ho identificato subito. Un secondo dopo si è aperta la porta e ho visto Lina che si precipitava fuori trascinandosi dietro la valigia. Ho fatto appena in tempo ad aprirle lo sportello. Sembrava esausta. Poi, per strada, mi ha raccontato tutto...».

«Lei conosceva il dottor Pardon?».

«Non l'avevo mai sentito nominare. È stata Lina a darmi l'indirizzo».

«Aveva ancora intenzione di andare fino ad Amsterdam con la sua auto?».

«Non avevo idea della gravità della ferita. Perdeva molto sangue. Ero angosciato...».

«Il che non le ha impedito di raccontare al medico un mucchio di frottole».

«Ho ritenuto più prudente non dirgli la verità».

«E svignarsela di soppiatto...».

«Per evitare che prendesse nota dei nomi».

«Sapeva che Nahour teneva una pistola nel cassetto della scrivania?».

«No, Lina non me ne aveva mai parlato».

«Sa se aveva paura del marito?».

«Nahour non era uomo da ispirare paura».

«E Ouéni?».

«Di lui Lina mi ha detto ben poco».

«Eppure in casa svolgeva un ruolo importante».

«Forse per il signor Nahour, ma con lei non aveva niente a che fare».

«Ne è sicuro?».

Alvaredo avvampò fino alla punta delle orecchie e, a denti stretti per la rabbia, sibilò:

«Cosa sta insinuando?».

«Non sto insinuando niente, tranne il fatto che Fouad, grazie al suo ascendente su Nahour, poteva influire indirettamente sul destino della signora».

Il giovanotto si calmò, imbarazzato per aver perso il controllo.

«Lei è un tipo molto passionale, signor Alvaredo».

«Sono innamorato...» tagliò corto lui.

«Posso chiederle da quanto tempo è a Parigi?».

«Tre anni e mezzo».

«Studente?».

«Ho studiato legge a Bogotá. Sono venuto qui per frequentare dei corsi all'Istituto di diritto comparato... Nel frattempo lavoro come volontario nello studio dell'avvocato Puget, un professore di diritto internazionale. È in boulevard Raspail, a due passi da qui...».

«I suoi genitori sono ricchi?».

«Per Bogotá sì» rispose lui, quasi in tono di scusa.

«È figlio unico?».

«Ho un fratello minore che studia a Berkeley, negli Stati Uniti...».

«Suppongo che i suoi genitori siano cattolici come, se non vado errato, la maggior parte dei colombiani...».

«Mia madre è abbastanza devota».

«Ha intenzione di portare la signora Nahour a Bogotá?».

«Sì».

«Non crede che, sposando una divorziata, incontrerà le resistenze della sua famiglia?».

«Sono maggiorenne».

«Le dispiace se faccio una telefonata?».

Maigret chiamò l'Hôtel du Louvre.

«Lucas... Puoi lasciarle tranquille... Però non allontanarti dall'albergo... Manderò qualcuno a darti il cambio nel tardo pomeriggio...».

Alvaredo abbozzò un sorriso amaro.

«Uno dei suoi uomini è rimasto nella stanza di Lina per controllare che non mi telefonasse, vero?».

«Sono spiacente, ma si tratta di precauzioni necessarie».

«E sorveglierete anche me, immagino...».

«Ebbene sì».

«Posso andare a trovarla?».

«Non ho più niente in contrario».

«Il viaggio non l'ha stancata troppo?».

«Non abbastanza da pregiudicarne il sangue freddo e la prontezza di spirito».

«È solo una bambina».

«Una bambina molto scaltra».

«Davvero non vuole qualcosa da bere?».

«Preferisco di no».

«Devo dedurne che mi considera ancora un sospetto?».

«Sospettare di chiunque fa parte del mio mestiere».

Uscendo in strada, Maigret tirò un gran sospiro e si gonfiò d'aria i polmoni.

«Ecco fatto!».

«Secondo lei, capo, ci ha mentito?».

Il commissario ignorò la domanda.

«Vai a sederti in macchina. Vedrai che fra non molto quell'Alfa Romeo rossa partirà a tutta birra verso rue de Rivoli. Buon pomeriggio... Tieni informato il Quai, così ti fai dare il cambio...».

«E lei?».

«Io torno in avenue du Parc-Montsouris. Domani bisognerà che tu e qualcun altro veniate ad aiutarmi a riprendere gli interrogatori in veste più ufficiale».

Dopodiché, con le mani in tasca, maledicendo la sciarpa di lana che lo infagottava e gli solleticava il collo, si incamminò verso la stazione dei taxi all'angolo con boulevard Saint-Michel.

Da fuori, casa Nahour sembrava deserta. Maigret chiese al tassista di aspettarlo. Poi attraversò il giardinetto, facendo scricchiolare la neve sotto le scarpe, e premette il campanello.

Sulla soglia apparve un insonnolito Torrence, che gli aprì sbadigliando.

«Novità?».

«È arrivato il padre. È nello studio con Pierre Nahour».

«Che tipo è?».

«Un uomo sui settantacinque con una massa di capelli ispidi, completamente bianchi, e il viso coperto di rughe, ma d'aspetto gagliardo».

La porta dello studio si aprì di uno spiraglio e Pierre Nahour, scorgendo Maigret, chiese:

«Ha bisogno di me, signor commissario?».

«Volevo vedere Ouéni».

«È di sopra».

«Suo padre l'ha già incontrato?».

«Non ancora, ma più tardi avrà probabilmente qualche domanda da fargli».

Maigret appese cappotto, sciarpa e cappello all'attaccapanni e si avviò su per le scale. Si diresse verso la camera di Fouad, lungo il corridoio buio, e bussò: gli rispose una voce in arabo.

Spinse la porta e trovò Ouéni seduto in poltrona. Non stava leggendo, non stava facendo niente, e rivolse a Maigret uno sguardo assolutamente privo di espressione.

«Entri pure... Allora, cosa le hanno raccontato?...».

6

Era una stanza arredata in modo essenziale, la più spoglia di tutta la casa. Con ogni probabilità il pittore che l'aveva data in affitto ammobiliata ai Nahour aveva un figlio adolescente, perché la camera di Ouéni sembrava quella di uno studente. E apparentemente il segretario non aveva cambiato nulla, né si notava in giro alcun oggetto personale.

Sprofondato nella sua poltrona di pelle, con le gambe allungate davanti a sé in un atteggiamento del tutto rilassato, il libanese appariva impeccabile come il giorno prima nel suo completo scuro di ottimo taglio. Era rasato di fresco. La sua camicia era di un bianco immacolato e le unghie ben curate.

Fingendo di non far caso alla sua aria insolente, Maigret gli si parò davanti guardandolo dritto in faccia, come per inquadrarlo: visti così, lui e Fouad sembravano due bambini che giochino a chi sbatte per primo le palpebre.

«Lei non collabora granché, signor Ouéni».

Il volto del segretario non tradiva il minimo turbamento. Sembrava anzi che si divertisse a sfidare Maigret con il suo sorriso pieno di tracotanza e di sarcasmo.

«Lina...».

Fouad non mancò di sottolineare quella nota di familiarità.

«Prego?».

«La signora Nahour, se preferisce, fornisce una versione lievemente diversa dei suoi spostamenti di venerdì sera. Sostiene che verso mezzanotte, quando è entrata nello studio, lei era lì in compagnia del signor Nahour. E, più precisamente, che il marito era seduto alla scrivania e lei in piedi al suo fianco».

Nessuna risposta. L'altro seguitava a sorridere.

«È la sua parola contro la mia, no?» disse alla fine.

Parlava con studiata lentezza, scandendo le sillabe, e avrebbe continuato a farlo per tutto l'interrogatorio.

«Nega?».

«Ho già risposto ieri alle sue domande».

«Questo non significa che mi abbia detto la verità».

Ouéni contrasse le dita sui braccioli della poltrona, come se reagisse a quel che riteneva un insulto. Ciò nondimeno si contenne e tacque.

Il commissario fece qualche passo, andò a piazzarsi davanti alla finestra e vi rimase a lungo; poi, con le mani dietro la schiena e la pipa in bocca, prese a camminare su e giù per la stanza.

«Lei sostiene di essere uscito dal Bar des Tilleuls poco dopo l'una di notte, come ha confermato il padrone... Il quale, tuttavia, non si ricorda di averla vista arrivare... Niente, finora, ci permette di escludere che lei sia arrivato al bar dopo mezzanotte, e che si sia limitato a entrare e uscire allo scopo di crearsi un alibi».

«Avete interrogato tutti i membri del circolo presenti l'altra notte in entrambe le sale del circolo?».

«Lei sa perfettamente che non ne abbiamo ancora avuto l'opportunità, e che oggi, essendo domenica, sia il circolo che il bar sono chiusi».

«Avete tutto il tempo. E io pure».

Stava forse cercando, con quell'atteggiamento, di farlo uscire dai gangheri? Era freddo e controllato come un giocatore di scacchi, e coglierlo in fallo non doveva essere facile.

Parandosi nuovamente di fronte a lui, il commissario gli chiese in tono più salottiero:

«È mai stato sposato, signor Ouéni?».

Recitando forse un proverbio del suo paese, quello rispose:

«Chi con una donna non si contenta dei piaceri di una notte, si mette il cappio al collo».

«Come nel caso del signor Nahour, per esempio?».

«La sua vita privata non mi riguarda».

«Ha delle amanti, signor Ouéni?».

«Non sono omosessuale, se è questo che vuole sapere» replicò lui, ostentando tutto il suo disprezzo.

«Posso dedurne che le capiti ogni tanto di intrattenere una relazione con una donna?».

«Se la giustizia francese è curiosa fino a questo punto, fornirò nomi e indirizzi».

«È andato forse a trovare un'amica, venerdì sera?».

«No. Le ho già risposto».

Maigret tornò alla finestra e prese a guardare distrattamente l'avenue du Parc-Montsouris sotto la coltre di neve e i pochi abitanti del quartiere che, nonostante il freddo, non avevano rinunciato alla passeggiata domenicale.

«Possiede un'arma, signor Ouéni?».

Questi si alzò dalla poltrona pigramente, come di malavoglia, aprì un cassetto del comò e ne estrasse una lunga pistola di precisione. Non era certo un arnese che ci si potesse infilare in tasca, ma un'arma da allenamento con una canna di almeno venti centimetri e un calibro che non corrispondeva a quello del proiettile ritrovato nella scatola cranica di Nahour.

«Contento?».

«No».

«Ha fatto la stessa domanda ad Alvaredo?».

Questa volta fu Maigret a non rispondere. L'interrogatorio procedeva al rallentatore, proprio come una partita a scacchi, e ciascuno dei due preparava con cura le sue finte e le sue contromosse.

Il commissario aveva un'espressione grave e tirava lunghe boccate dalla pipa, facendo sfrigolare il tabacco. Erano immersi nel silenzio; dall'universo ovattato di fuori non giungeva alcun rumore.

«Lei sapeva che, da quasi due anni, la signora Nahour stava cercando di ottenere il divorzio?».

«Le ho già detto che non erano affari miei».

«Non è tuttavia lecito pensare che, tenuto conto del vostro rapporto, il signor Nahour gliene avesse parlato?».

«Questa è una sua affermazione».

«Io non affermo un bel niente. Io faccio domande, e lei non risponde».

«Rispondo alle domande che mi riguardano».

«Sapeva fra l'altro che, da più di una settimana, la signora Nahour aveva programmato il viaggio ad Amsterdam che avrebbe sancito la sua separazione definitiva dal marito?».

«Vale la risposta di prima».

«Dichiara sempre che non si trovava in questa stanza al momento del delitto?».

Fouad scollò le spalle, reputando la domanda superflua.

«Lei conosceva Nahour da circa vent'anni, e durante tutto quel tempo non vi siete praticamente mai separati. Lui è diventato un giocatore di professione, quel che potremmo definire un giocatore scientifico, e lei lo aiutava nei calcoli ai quali lui si dedicava».

Ouéni, che sembrava non ascoltare, aveva ripreso il suo posto in poltrona. Maigret agguantò una sedia per lo schienale e si sedette a cavalcioni a meno di un metro da lui.

«Quando è arrivato a Parigi lei era povero, giusto? Quanto la pagava Nahour?».

«Non sono mai stato a libro paga».

«Le occorreva pur sempre del denaro».

«Quando ne avevo bisogno, me ne dava».

«Ha un conto in banca?».

«No».

«Quanto le dava ogni volta?».

«Quello che gli chiedevo».

«Somme consistenti? Ha dei risparmi?».

«Non ho mai posseduto altro che i miei vestiti».

«Al gioco, signor Ouéni, lei era bravo quanto Nahour?».

«Non sta a me giudicare».

«È mai capitato che Nahour le proponesse di sostituirlo a un tavolo di roulette o di baccarà?».

«Sì».

«E ha vinto?».

«Certe volte ho vinto, altre ho perso».

«Il ricavato l'ha tenuto per sé?».

«No».

133

«Non avete mai pensato di mettervi in società? Nahour avrebbe potuto versarle una percentuale sulle vincite, per esempio».

L'altro si limitò a fare un cenno di diniego.

«Quindi lei non era né il suo socio né un suo pari, giacché dipendeva interamente da lui. Ciò equivale a dire che tra voi, in sostanza, esisteva un rapporto da padrone a servitore. Quando Nahour si è sposato, lei non ha temuto che questo legame si allentasse?».

«No».

«Forse Nahour non amava la moglie?».

«Avrebbe dovuto chiederlo a lui».

«Temo che sia troppo tardi. Da quanto tempo sa che la signora Nahour ha un amante?».

«E cosa le fa pensare che ne sia al corrente?».

Se Ouéni credeva di fargli perdere le staffe, sarebbe rimasto con un palmo di naso: raramente il commissario era stato così padrone di sé.

«Non può ignorare che i rapporti fra marito e moglie, già poco affettuosi, da due anni a questa parte si erano deteriorati. Sapeva anche con quanta insistenza la signora Nahour reclamava il divorzio. È stato lei a seguirla e a informare Nahour della sua relazione con Alvaredo?».

Il sorriso di Ouéni grondava disprezzo.

«Li ha incontrati lui stesso mentre uscivano da un ristorante del Palais-Royal. Non facevano niente per nascondersi».

«Nahour era fuori di sé?».

«Non l'ho mai visto fuori di sé».

«Eppure, anche se con la moglie era finita da un pezzo, e pur sapendo che lei amava un altro, la costringeva a vivere sotto lo stesso tetto. Non era una forma di vendetta?».

«Forse».

«E non è stato in seguito a questa scoperta che l'ha separata dai figli mandandoli nel Midi?».

«Diversamente da lei, commissario, io non leggo nel pensiero del prossimo, vivo o morto che sia».

«Io penso, signor Ouéni, che la signora Nahour non mente quando sostiene che lei venerdì sera era in compagnia del marito. E sono anche propenso a credere che lei sapesse del viaggio ad Amsterdam e che ne conoscesse la data».

«È libero di credere quello che le pare».

«Il marito la odiava...».

«Forse era lei a odiarlo...».

«Mettiamo pure che si odiassero reciprocamente. Lei aveva deciso di riprendersi la sua libertà a qualunque costo...».

«A qualunque costo, per l'appunto».

«Sta accusando la signora Nahour di aver ucciso il marito?».

«No».

«Si sta autoaccusando?».

«No».

«E allora?».

Con calcolata lentezza Ouéni rispose:

«C'è un'altra persona che è parte in causa in questa faccenda».

«Alvaredo?».

«Dov'era lui?».

«A bordo della sua auto, davanti all'ingresso».

Adesso era Fouad a condurre l'interrogatorio, a fare le domande.

«E lei ci crede?».

«Fino a prova contraria, sì».

«Il giovanotto è molto innamorato, giusto?».

Maigret lo lasciava parlare: era curioso di vedere dove volesse andare a parare.

«Così sembrerebbe».

«Appassionatamente innamorato? Lei ha appena detto che è l'amante della signora Nahour da due anni, giusto? I genitori non accoglieranno certo di buon grado una divorziata con due figli. Che Alvaredo sia pronto ad affrontare un tale rischio non presuppone forse quel che si definisce un grande amore?».

Tutt'a un tratto i suoi occhi si fecero crudeli, e una piega ironica gli si disegnò sulle labbra.

«Lui sapeva» proseguì, immobile nella sua poltrona «che venerdì sera si sarebbe svolta la partita decisiva. Ne conviene?».

«Sì».

«Mi dica, signor Maigret, se quella sera lei si fosse trovato al posto di Alvaredo e nel suo stesso stato d'animo, avrebbe lasciato la sua amante sola di fronte a un marito irremovibile? Crede davvero che lui sia rimasto fuori ad aspettare per quasi un'ora senza preoccuparsi minimamente di ciò che succedeva in questa casa?».

«L'ha visto?».

«Mi risparmi i suoi trabocchetti da due soldi. Non ho visto un bel niente, dato che non c'ero. Le sto solo dimostrando che la presenza di quell'uomo nello studio è assai più verosimile della mia».

Maigret si alzò in piedi, improvvisamente rilassato, come se alla fine fossero giunti al punto cruciale.

«C'erano almeno due persone in quella stanza:» disse in tono più disteso «Nahour e la moglie. Nell'ipotesi che fossero soli, la signora Nahour avrebbe dovuto avere con sé una pistola di grosso calibro, che difficilmente si può nascondere in una borsetta. Inoltre, Nahour dovrebbe aver sparato per primo, e la moglie lo avrebbe ucciso in un secondo tempo».

«Non necessariamente. Può essere stata lei ad aprire il fuoco, mentre il marito impugnava la pistola per difendersi. Poi lui, accasciandosi, potrebbe aver premuto istintivamente il grilletto, il che spiegherebbe la mancanza di precisione del colpo».

«Lasciamo da parte, per il momento, il dubbio su chi abbia tirato per primo. Supponiamo ora che fosse presente anche lei. La signora Nahour estrae la pistola dalla borsetta e lei, che è vicino al cassetto con la 6,35, per difendere il marito spara in direzione della donna».

«Seguendo il filo del suo ragionamento, Lina avrebbe sparato a sua volta, ma non al sottoscritto, armato e quindi in grado di colpirla ancora, bensì al marito...».

«Ammettiamo per un attimo che lei odiasse il signor Félix, come lo chiamava lei...».

«E che motivo avrei avuto?».

«Da vent'anni lei viene trattato alla stregua del parente povero, senza che peraltro sussista fra voi un qualsiasi legame di parentela. Lei non ha alcun ruolo ma si occupa un po' di tutto, compreso servire le uova alla coque al mattino. Non è pagato, ma al bisogno le vengono elargite piccole somme, delle mance, in sostanza.

«Non so se il fatto che lei appartiene a un'altra razza incida o meno. Comunque sia, la sua situazione ha un che di umiliante, e niente fomenta l'odio quanto l'umiliazione.

«Ma ecco che le si presenta l'occasione di vendicarsi. Nahour spara alla moglie che sta uscendo dalla porta per non tornare mai più. Lei, Ouéni, spara a sua volta, ma non alla donna, bensì a lui, sapendo benissimo che del suo gesto verranno accusati la signora Nahour o l'amante di lei. Fatto questo, non le resta che crearsi un alibi recandosi al Cercle Saint-Michel.

«In meno di un'ora, signor Fouad, possiamo stabilire se le cose sono andate effettivamente così. È sufficiente che telefoni a Moers, uno dei nostri migliori esperti alla Scientifica. Se non è al Quai, lo troverò a casa sua. Porterà qui il necessario per sottoporla al test della paraffina, che abbiamo già praticato sul signor Nahour, e se lei si è servito di un'arma da fuoco non ci metteremo molto a scoprirlo».

Ouéni non batté ciglio. Anzi, il suo sorriso divenne più ironico che mai.

Ma, vedendo Maigret dirigersi al telefono, lo bloccò.

«È inutile».

«Confessa?».

«Lei sa meglio di me, signor Maigret, che il test può rilevare tracce di polvere da sparo sulla pelle fino a cinque giorni dopo che si è sparato».

«Lei è un uomo dalle conoscenze insospettate».

«Giovedì, come mi capita spesso, sono andato al banco di tiro situato nel seminterrato dell'armeria Boutelleau e Figli, in rue de Rennes».

«Con la sua pistola?».

«No. Ne possiedo un'altra identica che lascio là, come fanno molti clienti abituali. È quindi probabile che sulla mia mano destra troverete dei residui di polvere».

«Perché si allena a tirare con la pistola?».

Maigret era contrariato.

«Perché provengo da una tribù che gira armata dodici mesi all'anno e che vanta i migliori tiratori del mondo. A dieci anni i maschi maneggiano già il fucile».

Maigret rialzò lentamente la testa.

«E se non rilevassimo tracce di polvere da sparo né sulla mano di Alvaredo né su quella della signora Nahour?».

«Alvaredo veniva da fuori, dove c'erano dodici

138

gradi sotto zero. Possiamo dedurne che portasse i guanti, e che dovevano anche essere abbastanza pesanti. Non ha verificato?».

Era volutamente offensivo.

«Mi rincresce doverle insegnare il suo mestiere. La signora Nahour era in procinto di partire. Suppongo che indossasse il cappotto, e con ogni probabilità aveva già infilato i guanti».

«Sono questi gli argomenti della sua difesa?».

«Credevo di non aver bisogno di difendermi finché il giudice istruttore non mi avesse messo sotto accusa».

«Domani alle dieci è pregato di presentarsi al Quai des Orfèvres, dove procederemo al suo interrogatorio ufficiale. Può darsi, poi, che il magistrato a cui ha appena fatto cenno voglia a sua volta interrogarla».

«E intanto?».

«Le chiedo formalmente di non uscire da questa casa, dove uno dei miei ispettori continuerà a sorvegliarla».

«Sono un tipo molto paziente, commissario».

«Anch'io, signor Ouéni».

Ciò nondimeno, quando lasciò la stanza, il commissario aveva le guance in fiamme. Ma chissà, forse era per via del caldo. Passando in corridoio abbozzò un cenno amichevole a Torrence che, seduto su una seggiola troppo rigida, sfogliava una rivista. Quindi bussò alla porta dello studio.

«Entri pure, Maigret».

I due uomini si alzarono in piedi. Il più anziano, con il sigaro in bocca, si fece incontro al commissario tendendogli una mano asciutta e vigorosa.

«Avrei preferito incontrarla in circostanze diverse, commissario».

«Mi permetta di porgerle le mie condoglianze.

Prima di andarmene, ci tenevo a dirle che la Polizia giudiziaria e la Procura stanno facendo il possibile per scoprire chi ha ucciso suo figlio».

«Avete già una pista?».

«Non oserei dire tanto. Piuttosto, comincia a delinearsi il ruolo dei vari personaggi coinvolti nella vicenda».

«Crede che Félix abbia sparato a Lina?».

«Non v'è dubbio che sia stato lui, vuoi premendo involontariamente il grilletto, vuoi per un riflesso istintivo nel momento in cui lui stesso veniva colpito».

Padre e figlio si guardarono attoniti.

«Crede che quella donna, dopo averlo fatto tanto soffrire, alla fine abbia...».

«Non sono ancora in grado di formulare delle accuse. Buonasera, signori».

«Io resto qui?» chiese Torrence poco dopo, in corridoio.

«Fouad non deve uscire. Preferirei che rimanessi al primo piano e mi tenessi informato nel caso facesse delle telefonate. Qualcuno verrà a darti il cambio, ma non so ancora chi».

Il tassista brontolò:

«Mi pareva di aver capito che era questione di pochi minuti!».

«All'Hôtel du Louvre».

«Badi però che questa volta non l'aspetto. Ho preso servizio alle undici e non ho ancora avuto il tempo di mangiare un boccone».

Cominciava a calare il buio. Il tassista doveva aver acceso il motore, di tanto in tanto, perché lì dentro faceva un bel caldino.

Maigret, rannicchiato in un angolo del sedile, guardava con occhio distratto le sagome nere dei passanti che sfilavano rasente le case per ripararsi

140

dal freddo. E, tutto sommato, non si sentiva molto soddisfatto di sé.

Lucas sonnecchiava con le mani sul ventre, sprofondato in una delle monumentali poltrone della hall quando, attraverso le palpebre semichiuse, intravide la figura del commissario avanzare verso di lui. Con un balzo scattò in piedi e, stropicciandosi gli occhi, chiese:

«Tutto bene, capo?».

«Sì... Anzi no... Alvaredo è arrivato?».

«Non ancora... Nessuna delle tre è uscita... Una sola, l'amica, è scesa a comprare dei quotidiani e qualche rivista in fondo all'atrio...».

Maigret ebbe un attimo di esitazione, poi borbottò:

«Hai sete?».

«Ho bevuto una birra un quarto d'ora fa...».

Il commissario si avviò da solo verso il bar, lasciò cappotto, sciarpa e cappello al guardaroba e si issò di sghembo su uno degli alti sgabelli. Intorno a lui non c'era nessuno, tranne il sostituto del barman che ascoltava la cronaca di una partita di calcio alla radio.

«Un whisky...» ordinò dopo qualche secondo.

Ne aveva bisogno, visto il compito che lo aspettava. Dove aveva letto quell'adagio: cerca sempre l'anello debole?

Gli era venuto in mente durante il tragitto in taxi. Quattro persone sapevano la verità – o quanto meno una parte della verità – sul caso Nahour. Le aveva interrogate tutte e quattro, e alcune due volte. Tutte avevano mentito almeno in un'occasione, e certe in più d'una.

Quale di loro rappresentava l'anello debole?

A un dato momento era stato incline a pensare che fosse Nelly Verthuis, la cui ingenuità non poteva essere soltanto simulata; ma, appunto perché la cameriera ignorava la gravità delle sue fandonie, c'era il rischio che ne raccontasse un mucchio.

Alvaredo, tutto sommato, era abbastanza simpatico. Era un passionale. Il suo amore per Lina sembrava sincero, anzi perfino troppo veemente, sicché mai si sarebbe lasciato strappare qualcosa che potesse nuocere alla giovane donna.

Quanto a Ouéni, Maigret aveva appena saggiato la sua abilità nel fiutare e aggirare qualsiasi trabocchetto.

Rimaneva Lina: su di lei il commissario non era ancora riuscito a farsi un'opinione. A prima vista sembrava una bambina che si dava da fare nel mondo dei grandi senza saper più dove sbattere la testa.

Semplice dattilografa ad Amsterdam, si era lasciata tentare dal mestiere più allettante di indossatrice, prima di iscriversi, quasi per caso, a un concorso di bellezza.

Il miracolo si era avverato, e dall'oggi al domani la ragazza si era ritrovata catapultata in un ambiente del tutto nuovo.

Un uomo facoltoso, gran giocatore d'azzardo e ospite riverito del casinò, aveva preso a mandarle fiori e a invitarla a cena nei migliori ristoranti, senza nulla pretendere in cambio.

L'aveva portata a Biarritz, mantenendosi sempre discreto, e finalmente, dopo che una notte aveva osato introdursi nella sua stanza, le aveva proposto quasi subito di sposarla.

Come avrebbe potuto, la giovane olandese, capire la psicologia di un Nahour? E tanto meno sarebbe stata in grado di intuire quella di un Fouad Ouéni che, senza apparente motivo, li seguiva come un'ombra.

A un certo punto Lina aveva voluto accanto a sé una cameriera del suo paese: era stato un po' come chiamare aiuto e, forse da una fotografia, aveva scelto la candidata dall'aspetto più innocente e allegro.

Nahour l'aveva coperta di vestiti, gioielli, pellicce, ma a Deauville, a Cannes, a Évian, ovunque la trascinasse senza chiederle il suo parere, Lina si sentiva sola, e di tanto in tanto tornava ad Amsterdam per confidarsi a cuore aperto con Anna Keegel, come ai tempi in cui vivevano insieme in Lomanstraat.

Aveva avuto una figlia. Ma si sentiva pronta per la maternità? Forse, se il marito aveva fatto appello a una governante, era perché la riteneva una responsabilità troppo gravosa per lei.

Chissà se già allora Lina aveva degli amanti, delle avventure...

Gli anni passavano e il suo viso si manteneva fresco, la pelle chiara e liscia. Ma che dire della sua mente? Aveva imparato qualcosa dalla vita?

Un altro figlio, finalmente un maschio, aveva dato piena soddisfazione al marito, che le era stato vicino solo per breve tempo.

Lina aveva incontrato Alvaredo, e all'improvviso la sua esistenza aveva cambiato colore...

Maigret era sul punto di impietosirsi, ma un pensiero glielo impedì:

«È stata pur sempre lei, la bambina dagli occhi innocenti, a scatenare tutto...».

La stessa che, da venerdì sera, dava prova di un sangue freddo eccezionale.

Il commissario fu lì lì per ordinare un altro whisky, ma poi cambiò idea e pochi istanti dopo era già in ascensore diretto al quarto piano. Nelly gli aprì la porta del salottino.

«La signora Nahour sta dormendo?».

«No. Sta prendendo il tè».

«Le dica cortesemente che vorrei parlarle».

La trovò seduta nel letto, con una mantellina di seta bianca sulle spalle, intenta a sfogliare una rivista inglese o americana. Sul comodino era stato servito il tè, accompagnato da fette di torta, e Anna Keegel, che all'arrivo del commissario doveva essere stesa sull'altro letto, si ravviava i capelli cercando di darsi un contegno.

«Desidererei parlarle a quattrocchi, signora Nahour».

«È sicuro che Anna non può rimanere? Non le ho mai nascosto niente e...».

«Supponiamo che sia io a non gradire la sua presenza».

Il che non era del tutto falso. Richiusa la porta, Maigret sistemò una sedia tra i due letti e, goffamente, si accomodò.

«Ha visto Vicente? Non è troppo in ansia per me?».

«L'ho rassicurato sul suo stato di salute, cosa che peraltro ha fatto lei stessa al telefono. Lo sta aspettando, immagino...».

«Viene fra mezz'ora. Gli ho dato appuntamento alle cinque e mezzo perché pensavo che avrei dormito di più. Che impressione le ha fatto?».

«Mi è parso molto innamorato. Volevo per l'appunto cominciare da lui, signora Nahour. Capisco che lei abbia tentato l'impossibile per tenerlo fuori da questa faccenda e per evitare che venisse coinvolto il suo nome, cosa che avrebbe complicato i rapporti di Vicente con i genitori, nonché i suoi con i futuri suoceri.

«Per quanto mi riguarda, farò di tutto per risparmiargli qualsiasi pubblicità.

«C'è un particolare, tuttavia, che mi lascia perplesso. Lei ha dichiarato che venerdì sera, durante tutto il tempo in cui è rimasta all'interno della villa – ovvero circa un'ora –, Vicente era fuori ad aspettarla in macchina.

«Ora, Alvaredo era al corrente della sua decisione. Sapeva anche che suo marito non voleva sentir parlare di divorzio. E immaginava quindi che fra voi due ci sarebbe stata una discussione violenta, drammatica. Come mai, viste le circostanze, anziché assumersi le proprie responsabilità l'ha lasciata sola?».

Mentre il commissario parlava, Lina si mordicchiava il labbro inferiore.

«È la verità» si limitò a rispondere.

«Ouéni è di parere diverso».

«Che cosa le ha detto?».

«Che Alvaredo è entrato nello studio insieme a lei, e si è premurato di precisare che portava pesanti guanti invernali. Stando sempre a Ouéni, quando suo marito ha sparato, è stato Alvaredo a estrarre di tasca una pistola e a rispondere al fuoco».

«Ouéni mente».

«Per parte mia, sarei propenso a credere che ci sia stata prima un'accesa discussione fra lei e suo marito, mentre Alvaredo si teneva discretamente vicino alla porta. Quando Nahour ha capito che la sua decisione era irrevocabile, ha preso dal cassetto la 6,35 e gliel'ha puntata contro. Il suo amico, pensando che avrebbe sparato, per proteggerla l'ha fatto per primo, e Nahour, crollando a terra, ha premuto il grilletto».

«Non è andata così».

«Mi corregga, allora».

«Gliel'ho già detto. Anzitutto, se Vicente è rimasto in auto, è perché l'ho voluto io. L'ho persino minacciato di non partire con lui, se si fosse azzardato a seguirmi in casa».

«Suo marito era seduto alla scrivania?».

«Sì».

«E Ouéni?».

«In piedi alla sua destra».

«Quindi davanti al cassetto con la pistola».

«Credo di sì...».

«Crede o ne è sicura?».

«Ne sono sicura».

«Ouéni non ha accennato ad andarsene?».

«Si è spostato, ma è rimasto nello studio».

«Dove esattamente?».

«Al centro della stanza».

«Prima o dopo che lei cominciasse a parlare?».

«Dopo».

«Lei ha ammesso di non avere simpatia per Ouéni. Perché non ha chiesto a suo marito di farlo uscire?».

«Félix avrebbe rifiutato. E poi, al punto in cui ero, non faceva alcuna differenza».

«Quali sono state le sue prime parole?».

«Ho detto:

«"Ho preso una decisione, ed è irrevocabile. Me ne vado...".».

«Parlava in francese?».

«In inglese. È una lingua che ho imparato da bambina, mentre il francese ho iniziato a studiarlo molto più tardi».

«E suo marito cos'ha risposto?».

«"Con il tuo amante? È lui che ti sta aspettando in macchina?"».

«Com'era Nahour in quel momento?».

«Pallidissimo, con un'espressione dura. Si è alzato lentamente, e credo sia stato lì che ha aperto il cassetto, anche se non sapevo ancora quali intenzio-

146

ni avesse. Ho aggiunto che non gli rimproveravo nulla, che lo ringraziavo di quanto aveva fatto per me e che lasciavo decidere a lui in merito alla custodia dei bambini. Ho concluso dicendogli che il mio avvocato lo avrebbe contattato...».

«Ouéni dov'era?».

«Non so, non badavo a lui. Abbastanza vicino a me, suppongo. È uno che non fa mai molto rumore».

«Ed è allora che suo marito ha sparato?».

«No, non ancora. Mi ha ripetuto quello che mi aveva detto tante volte, che non mi avrebbe mai concesso il divorzio. Gli ho risposto che non avrebbe avuto scelta. E a quel punto mi sono accorta che impugnava una pistola...».

«E poi?».

Maigret era proteso verso di lei, come per impedirle di sfuggirgli di nuovo.

«Sono...».

Si corresse:

«È partito un colpo».

«No, due colpi. Proprio come stava per dire. Sono sicuro che Alvaredo si trovava nello studio, ma non è stato lui a sparare».

«Crede che sia stata io?».

«No, neppure lei. Prima che suo marito sparasse, o forse dopo, Ouéni ha estratto dalla tasca un'arma...».

«Mentre ero presente io, c'è stato un colpo solo. Nelly glielo confermerà».

«Nelly mente molto bene, ragazza mia. Quasi quanto lei!» disse Maigret alzandosi.

Stavolta in lui c'era un che di minaccioso. Adesso non scherzava più. Rimise la sedia nel suo angolo e prese a misurare il salotto a grandi passi: Lina sten-

147

tava a riconoscere l'uomo che, fino a un istante prima, le era apparso sotto una luce quasi paterna.

«Bisognerà che la pianti di dire bugie! E prima si decide meglio è. Altrimenti chiamo subito il giudice istruttore e gli chiedo un mandato di arresto».

«Perché Ouéni avrebbe sparato a mio marito?».

«Perché era innamorato di lei».

«Fouad? Lui, innamorato?».

«Non faccia l'innocente, Lina. Dopo il suo primo incontro con Nahour, quanto tempo ci è voluto perché Ouéni diventasse il suo amante?».

«Gliel'ha detto lui?».

«Non ha importanza. Risponda...».

«È successo diversi mesi dopo il matrimonio... Non me lo aspettavo... Non l'avevo mai visto insieme a una donna... Sembrava che le disprezzasse...».

«E si è messa in testa di sedurlo?».

«È questo che pensa di me?».

«Le chiedo scusa. Del resto, non cambierebbe molto se fosse stato Fouad a fare il primo passo. Fino allora, il suo rapporto con Nahour era stato per così dire esclusivo. Ma ecco che si ritrovava a doverlo dividere con lei. Diventando il suo amante, Ouéni si vendicava di tutte le umiliazioni passate e future».

Tutt'a un tratto Lina sembrava quasi brutta, con il viso disfatto dalle lacrime che non si curava neppure di asciugare.

«Visto che, ovunque abitaste, albergo o villa che fosse, lei e suo marito dormivate in camere separate, non sarà stato difficile per Ouéni raggiungerla di notte. In avenue du Parc-Montsouris...».

«Lì non è mai successo niente...».

Era al colmo della disperazione, e lo guardava con gli occhi rossi e imploranti.

«Glielo giuro! Quando le cose tra me e Alvaredo sono diventate serie...».

«Cioè?».

«Quando ho capito che mi amava veramente e che anch'io lo amavo, ho troncato ogni rapporto con Fouad».

«E lui ha accettato di buon grado?».

«Ha cercato in ogni modo di convincermi a riprendere la relazione, una volta persino con la forza...».

«Quanto tempo fa?».

«Più o meno un anno e mezzo...».

«Lei sapeva che Ouéni l'amava ancora?».

«Sì».

«Non crede che parlare a Nahour in sua presenza, quella sera, fosse un po' come girargli il coltello nella piaga?».

«Non ci avevo pensato».

«Avvicinandosi a lei fin dall'inizio della discussione, non cercava forse di proteggerla?».

«Non me lo sono chiesta. Gliel'ho detto, non so nemmeno dove fosse esattamente».

«I due spari sono stati molto ravvicinati?».

Non rispose. Era visibilmente stremata e aveva smesso di recitare una parte. Se ne stava con le spalle infossate nei cuscini e il resto del corpo rannicchiato sotto la coperta.

«Perché non mi ha detto subito la verità?».

«Quale verità?».

«Riguardo al colpo sparato da Fouad».

Lei sussurrò:

«Perché non volevo che Vicente sapesse...».

«Sapesse cosa?».

«Di me e Fouad. Mi vergognavo. Ho avuto un'avventura a Cannes, molto tempo fa, e gliel'ho confessato. Ma di Fouad no! E se lo accuso, lui al processo dirà tutto! E allora addio matrimonio...».

«Alvaredo non è rimasto di stucco quando ha visto Ouéni uccidere suo marito?».

Si guardarono a lungo negli occhi. A poco a poco quelli di Maigret si facevano meno duri, mentre quelli azzurri di Lina tradivano sempre più la stanchezza e la rassegnazione.

«Mi ha trascinata fuori, e in macchina gli ho detto che Fouad aveva sempre detestato mio marito...».

Poi, con il labbro inferiore un po' gonfio, mormorò:

«Perché è stato così cattivo con me, commissario?».

7

Il lunedì seguente, alle undici del mattino, Maigret usciva da una delle stanze del Quai des Orfèvres, dove aveva appena concluso l'interrogatorio ufficiale del suo quarto testimone.

Per primo aveva chiamato Alvaredo, e se l'era sbrigata con una ventina di domande in tutto, diligentemente stenografate da Lucas insieme alle risposte. Ve n'era stata una d'importanza capitale, e il giovane colombiano ci aveva messo un po' a rispondere.

« Rifletta bene, signor Alvaredo. Questa è probabilmente l'ultima volta che la interrogo, visto che ormai l'inchiesta passerà nelle mani del giudice istruttore. Lei si trovava nella sua auto o all'interno della villa? ».

« Nella villa. Prima di entrare nello studio Lina mi ha aperto la porta ».

« Nahour era ancora vivo? ».

« Sì ».

« C'era qualcun altro? ».

«Fouad Ouéni».

«Lei dove si è messo?».

«Vicino alla porta».

«Nahour non le ha chiesto di uscire?».

«Ha finto di ignorarmi».

«Dove si trovava Fouad al momento degli spari?».

«A circa un metro da Lina, più o meno al centro della stanza».

«Quindi a una certa distanza da Nahour?».

«A un po' più di tre metri».

«Chi ha aperto il fuoco?».

«Credo che sia stato Ouéni, ma non potrei giurarci perché i colpi sono esplosi quasi simultaneamente».

Quindi, mentre il colombiano aspettava il permesso di andarsene, nell'ufficio accanto era stato il turno di Anna Keegel, e anche con lei Maigret se l'era cavata abbastanza rapidamente.

In una terza stanza, poi, il commissario non aveva infierito più di tanto su Nelly Verthuis, con gran stupore di quest'ultima.

«Quanti spari ha sentito?».

«Non so».

«È possibile che ci siano stati due colpi molto ravvicinati?».

«Credo di sì».

Quanto a Lina, se il suo interrogatorio era stato in buona parte una ripetizione di quello del giorno prima, il commissario si era premurato di evitare ogni allusione ai suoi rapporti intimi con Fouad.

Non nevicava più. Faceva meno freddo, e la neve si trasformava in fanghiglia. Nell'immenso corridoio della Polizia giudiziaria tiravano le solite correnti d'aria, mentre gli uffici erano surriscaldati.

In tutto il palazzo si respirava un clima di effervescenza, perché anche i colleghi degli altri reparti avevano intuito che era in corso un'operazione importante.

Alcuni giornalisti, fra i quali l'inevitabile Maquille, aspettavano seduti sulle panche, pronti ad avventarsi sul commissario non appena lo vedevano sbucare da una porta.

«Dopo, ragazzi. Non ho finito...».

La redazione di un quotidiano del mattino, Dio sa come – forse interrogando il personale aeroportuale –, aveva scoperto del breve viaggio di Lina ad Amsterdam e della presenza al suo fianco di un personaggio misterioso, soprannominato Signor X. Ciò significava che il caso avrebbe ormai assunto una dimensione internazionale, con grande disappunto di Maigret.

Gli restava da affrontare Ouéni.

La sera prima, allorché, dopo una breve scappata al Quai, il commissario era rientrato a casa verso le sette, alla signora Maigret era bastata un'occhiata per rendersi conto del suo stato d'animo.

«Stanco?».

«Non è tanto la stanchezza».

«Scoraggiato?».

«Dannato mestiere!» aveva brontolato lui, come gli capitava una volta ogni due o tre anni in circostanze analoghe. «Non ho il diritto di tapparmi gli occhi e le orecchie, ma se non lo faccio rischio di rovinare la vita di chi non se lo merita».

Lei si era ben guardata dal fargli domande e, anche dopo cena, erano rimasti tutti e due in silenzio a guardare la televisione.

Ora, giunto in fondo al corridoio, Maigret inspirò profondamente. Poi, con un sospiro disse a Lapointe:

«Andiamo?».

Nutriva ancora qualche speranza. Spinse la porta

dell'ufficio in cui avevano chiuso Ouéni e lo trovò, come al suo solito, sprofondato nell'unica poltrona della stanza con le gambe allungate davanti a sé.

E, sempre come il giorno prima, il segretario non si alzò né accennò un saluto, ma a turno posò sui due uomini uno sguardo carico di crudele ironia.

Dai tempi del liceo, al giovane Maigret era rimasto impresso «l'orribile sorriso di Voltaire», anche se poi dinanzi al busto del grand'uomo quell'espressione non gli era parsa appropriata. Da allora ne aveva visti di sorrisi, arroganti, aggressivi o perfidi, ma era la prima volta che gli tornava in mente l'aggettivo «orribile».

Il commissario sedette a un tavolo di legno bianco ricoperto di carta scura sul quale troneggiava una macchina per scrivere. Lapointe prese posto a un'estremità del tavolo e posò il bloc-notes dinanzi a sé.

«Nome e cognome».

«Fouad Ouéni, nato a Takla, in Libano».

«Età?».

«Cinquantun anni».

L'uomo sfilò di tasca un permesso di soggiorno e, senza alzarsi dalla poltrona, tese il braccio in aria, cosicché fu Lapointe a doversi scomodare.

«Così dichiara la polizia francese...» ironizzò poi il libanese.

«Professione?».

«Consulente legale» rispose in tono ancora più beffardo. «È sempre la vostra polizia a dirlo... Legga».

«Venerdì 14 gennaio, fra le undici di sera e l'una del mattino, le è capitato di trovarsi nello studio del suo principale, il signor Félix Nahour, in avenue du Parc-Montsouris?».

«No. Le faccio notare che il signor Nahour non

era il mio principale, giacché non mi corrispondeva alcuno stipendio».

«A che titolo lo ha seguito nelle sue diverse abitazioni, e in particolare in avenue du Parc-Montsouris?».

«A titolo amichevole».

«Non era il suo segretario?».

«Lo aiutavo quando gli occorrevano i miei consigli».

«Dov'era venerdì sera dopo le undici?».

«Al Cercle Saint-Michel, di cui sono membro».

«Può citare il nome di qualcuno che l'ha vista sul posto?».

«Non so chi mi abbia notato e chi no».

«Ha idea di quante persone ci fossero nelle due sale del circolo, peraltro abbastanza piccole?».

«Da trenta a quaranta, a seconda dei momenti».

«E lei non ha rivolto la parola a nessuno?».

«No. Non ero lì per chiacchierare, ma per prendere nota dei numeri che uscivano alla roulette».

«Dove si trovava esattamente?».

«Dietro ai giocatori. Ero seduto in un angolo, vicino alla porta».

«A che ora è arrivato in boulevard Saint-Michel?».

«Intorno alle dieci e mezzo».

«E a che ora se n'è andato dal circolo?».

«Verso l'una».

«Quindi lei sostiene di essere rimasto per due ore e passa in mezzo a più di trenta persone senza che nessuno abbia fatto caso alla sua presenza?».

«Non ho affatto detto questo».

«Ma non può citarmi neppure un nome?».

«Non ho mai dato confidenza agli altri giocatori: si tratta più che altro di studenti».

«Andando via, ha attraversato il bar al pianterreno? Ha parlato con qualcuno?».

«Sì, con il padrone».

«Cosa gli ha detto?».

«Che il quattro era uscito otto volte in meno di un'ora».

«Com'è tornato in avenue du Parc-Montsouris?».

«Con la macchina che avevo usato all'andata».

«La Bentley del signor Nahour?».

«Sì. Ero abituato a guidarla ed era a mia disposizione».

«Tre testimoni sostengono che, verso mezzanotte, lei si trovava nello studio del signor Nahour, in piedi alla sua destra».

«Tutti e tre hanno interesse a mentire».

«Cos'ha fatto una volta tornato a casa?».

«Sono salito in camera mia e sono andato a letto».

«Senza dare un'occhiata nello studio?».

«No».

«Per vent'anni, Ouéni, lei è vissuto alle spalle di Félix Nahour, che la trattava come il parente povero. Svolgeva le mansioni non solo di segretario, ma anche di domestico e autista. Non era una situazione umiliante?».

«Ero grato al signor Félix della fiducia che mi dimostrava, e di mia spontanea volontà sbrigavo qualche piccola incombenza».

Ouéni seguitava a puntare su Maigret uno sguardo di sfida, in preda, si sarebbe detto, a un'autentica gioia. E, consapevole del fatto che ogni sua parola poteva essere registrata e usata contro di lui, le sceglieva con cura una per una. Ma sarebbe stato impossibile riprodurre sulla carta il suo sguardo e le espressioni del suo volto, che esprimevano una provocazione costante.

«Quando, dopo aver vissuto quasi quindici anni

156

solo con lei, il signor Nahour si è sposato, non si è sentito un po' tradito?».

«Il nostro rapporto non aveva nulla di passionale, se è questo che vuole insinuare, e non avevo motivo di essere geloso».

«Il signor Nahour era un marito felice?».

«Non mi faceva confidenze sulla sua vita coniugale».

«Crede che, soprattutto negli ultimi due anni, la signora Nahour fosse soddisfatta della vita che conduceva a fianco del marito?».

«Non mi sono mai posto il problema».

Qui lo sguardo di Maigret si fece insistente: il messaggio era chiaro e Ouéni lo colse al volo. Ciò nondimeno, quasi avesse raccolto una tacita sfida, il libanese persisté nel suo atteggiamento cinico, che contrastava con l'obiettività delle sue risposte.

«Che rapporti aveva con la signora Nahour?».

«Non avevamo alcun tipo di rapporto».

Ora che si trattava di un interrogatorio ufficiale, destinato ad assumere un peso determinante per l'esito dell'inchiesta, ogni singola parola sembrava carica di dinamite.

«Non ha tentato di sedurla?».

«Non mi è mai passato per la testa».

«Le è capitato di trovarsi da solo con lei in una camera?».

«Se intende in una camera da letto, la risposta è no».

«Ci pensi bene».

«È ancora no».

«Nella sua stanza è stata rinvenuta una pistola calibro 7,65. Ne possedeva un'altra? E, se sì, dov'è adesso?».

«In un'armeria di rue de Rennes in cui sono solito allenarmi».

«Quando ci è andato per l'ultima volta?».

«Giovedì».

«Giovedì 13, ovvero il giorno prima dell'omicidio. Sapeva già che l'indomani la signora Nahour avrebbe lasciato il marito?».

«La signora non si confidava con me».

«Anche la cameriera era al corrente».

«Non correva molta simpatia, fra me e Nelly».

«Forse perché lei le ha fatto la corte ed è stato respinto?».

«Direi piuttosto il contrario».

«In sostanza, la seduta di tiro di giovedì casca a fagiolo per giustificare le probabili tracce di polvere da sparo sulle sue dita. Almeno due persone si trovavano nello studio del signor Nahour venerdì sera intorno a mezzanotte. Entrambe dichiarano sotto giuramento che c'era anche lei».

«Chi sarebbero queste due persone?».

«Una è la signora Nahour».

«E lei cosa ci faceva?».

«Era lì per annunciare al marito che aveva deciso di andarsene la notte stessa, e che voleva il divorzio».

«Le ha forse dichiarato che il marito era disposto ad accordarglielo? O che era la prima volta che gliene parlava? Non sapeva che lui si sarebbe opposto con tutte le sue forze?».

«Anche a costo di spararle?».

«Chi le dice che lo abbia fatto volontariamente? E poi, in base alla sua esperienza, capita spesso che, da una distanza di tre o quattro metri, chi spara miri alla gola della vittima? La signora Nahour le ha anche detto perché tutt'a un tratto era così impaziente di ottenere il divorzio?».

«Per sposare Vicente Alvaredo, che al momento degli spari si trovava con lei nella stanza».

« Degli spari? ».

« Ci sono stati due colpi di pistola molto ravvicinati, e pare che a centrare Nahour alla gola sia stato il primo ».

« Intende dire che il secondo l'avrebbe sparato un morto? ».

« Il decesso potrebbe non esser stato immediato. Nahour può aver premuto il grilletto senza rendersene conto prima di stramazzare a terra, mentre barcollava perdendo molto sangue ».

« E chi avrebbe tirato il primo colpo? ».

« Lei ».

« E perché mai? ».

« Forse per proteggere Lina Nahour, o perché odiava il suo principale ».

« Perché non Alvaredo? ».

« Pare che non possieda armi e che non si sia mai servito di una pistola in vita sua. È ciò che verificheremo nel corso dell'inchiesta ».

« Quei due se la sono svignata, no? ».

« Sono andati ad Amsterdam, come avevano programmato da una settimana, e sono ritornati a Parigi non appena glielo ha consigliato la polizia olandese ».

« D'intesa con lei? E magari con la promessa che non avrebbero avuto noie? Il signor Alvaredo portava dei guanti, giusto? ».

« Giusto ».

« Dei guanti di pelle spessa che non avete ritrovato? ».

« Sono stati rinvenuti ieri sera a Orly e il laboratorio non ha rilevato tracce di polvere da sparo ».

« E la signora Nahour, che era in procinto di partire, immagino avrà portato dei guanti anche lei... ».

« Lo stesso esame ha dato risultato negativo ».

« È certo che si trattasse dei medesimi guanti? ».

«Lo ha confermato la cameriera».

«All'inizio lei ha parlato di tre testimoni. Suppongo che il terzo sia Nelly Verthuis...».

«Nelly ha sentito i due spari dal corridoio del primo piano, dove aspettava la fine del colloquio sporgendosi dalla balaustra».

«È ciò che ha dichiarato fin da sabato?».

«Questo non la riguarda».

«Può almeno dirmi dove ha passato la giornata di domenica?».

«All'Hôtel du Louvre, con la signora Nahour e un'amica di lei».

«E queste tre persone non hanno ricevuto visite, oltre alla sua? Giacché presumo che sia andato a interrogarle, come ha fatto con me in avenue du Parc-Montsouris».

«Alvaredo è passato a trovarle nel tardo pomeriggio».

A questo punto i ruoli si ribaltarono.

«Basta così» dichiarò seccamente Ouéni. «D'ora in poi parlerò solo in presenza del mio avvocato».

«C'è una domanda che le ho già fatto, e che le ripeto un'altra volta: che rapporti aveva esattamente con la signora Nahour?».

Ouéni esibì un sorriso glaciale, e i suoi occhi erano più cupi e al tempo stesso più sfavillanti che mai, quando sibilò:

«Nessuno».

«La ringrazio. Lapointe, ti dispiace chiamarmi due ispettori?».

Maigret si era alzato, aveva aggirato la scrivania e si era piazzato di fronte a Ouéni, che non si era mosso dalla poltrona. Guardandolo dall'alto in basso, il commissario gli chiese in tono amaro:

«Vendetta?».

Fouad, accertatosi che fossero soli e che la porta fosse chiusa, rispose:

«Forse».

«Si alzi».

L'altro obbedì.

«Mi dia i polsi».

Ouéni eseguì, sempre con quel suo sorriso stampato sulla faccia.

«La arresto su mandato del giudice istruttore Cayotte...».

Poi, ai due ispettori entrati in quel momento:

«Portatelo in camera di sicurezza».

8

Era diventato «il caso Nahour». Per otto giorni si aggiudicò la prima pagina dei quotidiani, nonché articoli a più colonne nei settimanali scandalistici. I giornalisti si aggiravano senza sosta attorno ad avenue du Parc-Montsouris a caccia di pettegolezzi, e la signora Bodin, la donna di servizio, ebbe anche lei il suo momento di gloria.

Maquille si recò prima ad Amsterdam e poi a Cannes, da dove ritornò con un'intervista alla governante, la sua foto e quella dei bambini. E non mancò di interrogare i direttori e i croupier dei casinò.

Nel frattempo, gli uomini della Scientifica passavano al setaccio casa Nahour alla ricerca di un indizio. Ispezionarono anche il giardino, e persino le fognature, nella speranza di rinvenire la pistola usata per uccidere Nahour.

La riunione dal notaio si era svolta il lunedì pomeriggio in presenza di Pierre Nahour, del padre di lui e, ovviamente, di Lina.

Una telefonata del notaio Leroy-Beaudieu informò Maigret che, nel secondo testamento, Félix Nahour lasciava alla moglie soltanto il minimo previsto per legge, mentre il rimanente andava ai figli. Nahour esprimeva la volontà che i bambini venissero affidati al fratello e, in caso d'impossibilità, che questi fosse nominato vicetutore.

«A Ouéni non lascia niente?».

«Sono rimasto stupito anch'io. Ormai posso rivelarle che, nel primo testamento, reso nullo dal secondo, Nahour destinava al segretario una somma di cinquecentomila franchi "in riconoscenza della devozione e dei servizi resi". Ora, nel testamento definitivo il nome di Ouéni non compare nemmeno più».

Che nel frattempo Nahour fosse venuto a sapere della relazione che c'era stata tra Fouad e Lina?

Trentasei clienti abituali del Cercle Saint-Michel, nonché il direttore e i croupier, furono ascoltati dal giudice istruttore.

I giornalisti si mettevano di posta all'uscita, il che fu causa di incidenti: capitò, infatti, che i testimoni si scagliassero furiosamente contro i fotografi.

Ci fu anche qualche errore. Uno studente cambogiano dichiarò di aver visto Ouéni al circolo, seduto nel suo angolo, già alle undici di sera. Ci vollero quarantott'ore di indagini minuziose per stabilire che il venerdì quello studente non vi aveva messo piede, e che si era confuso con il mercoledì precedente.

Alcuni abitanti del quartiere, rincasando verso le undici e mezzo dopo aver trascorso la serata al cinema, giurarono di non aver visto macchine parcheggiate davanti al bar.

Il giudice Cayotte era un uomo meticoloso e paziente. Quasi ogni giorno, per tre mesi, convocò Maigret nel suo ufficio e gli affidò ulteriori ricerche.

Sulla stampa, la politica riprese il sopravvento e il caso Nahour fu relegato in terza pagina, poi in quinta, fino a sparire del tutto.

Lina, Alvaredo e Nelly non potevano allontanarsi da Parigi senza autorizzazione, e fu solo a istruttoria conclusa che ottennero il permesso di andare a rifugiarsi in una casetta nei dintorni di Dreux.

Il giudice per le indagini preliminari confermò l'imputazione di Ouéni, ma i ruoli della Corte d'assise erano talmente pieni che il processo non ebbe luogo prima del gennaio seguente, un anno dopo la notte in cui il dottor Pardon aveva ricevuto nello studio di boulevard Voltaire la misteriosa donna ferita e il suo amante.

Strano ma vero, durante le loro cene mensili Maigret e Pardon non avevano più fatto parola del caso Nahour.

Arrivò poi il giorno in cui un Maigret dal volto un po' congestionato dovette deporre alla sbarra. Fino a quel momento in aula non era stato fatto alcun riferimento alla relazione fra Lina e l'imputato.

Il commissario rispose alle domande del presidente nel modo più obiettivo e conciso possibile. Ma non appena vide il procuratore alzarsi dal suo scanno, seppe che il segreto della giovane donna era in pericolo.

«Il presidente mi autorizza a rivolgere una domanda al testimone?».

«La parola al procuratore della Repubblica».

«Il testimone può dire alla giuria se è venuto a conoscenza di una relazione che sarebbe esistita fra l'imputato e la signora Nahour in epoca da definire?».

Il commissario era sotto giuramento e non poteva mentire.

«Sì».

«L'imputato ha espressamente negato?».

«Sì».

«Ciò nonostante, il suo atteggiamento poteva far presupporre che fosse la verità?».

«Sì».

«Il testimone ha creduto all'esistenza della suddetta relazione?».

«Sì».

«E tale convinzione, che gettava nuova luce sui motivi del suo gesto, ha avuto un ruolo nell'arresto del signor Ouéni?».

«Sì».

Tutto qua. Il pubblico aveva ascoltato senza fiatare, ma ora un brusio crescente si diffuse in sala e il presidente dovette ricorrere al martelletto.

«Silenzio, o faccio sgombrare l'aula!».

Maigret sarebbe potuto andare a sedersi accanto al giudice Cayotte, che gli aveva tenuto un posto, ma preferì uscire.

Quando si ritrovò nel corridoio deserto, solo con l'eco dei suoi passi, prese a caricarsi lentamente una pipa senza rendersi conto di quel che faceva.

Pochi istanti dopo era alla buvette del Palazzo e, in tono burbero, ordinava una birra.

Non aveva il coraggio di tornare a casa. Se ne scolò una seconda, quasi d'un fiato, poi si avviò piano piano verso il Quai des Orfèvres.

Quell'anno non c'era neve. L'aria era mite. Sembrava quasi che la primavera fosse arrivata in anticipo, e il sole era così limpido che non ci si sarebbe stupiti di veder sbocciare le gemme.

Arrivato in ufficio, Maigret si affacciò nella stanza degli ispettori.

«Lucas!... Janvier!... Lapointe!...».

Pareva che lo stessero aspettando tutti e tre.

«Prendete il cappotto e venite con me...».

Lo seguirono senza chiedergli dove li stesse portando. Pochi minuti dopo salivano i gradini consunti della Brasserie Dauphine.

«Allora, commissario, questo caso Nahour?» buttò lì il padrone.

Ma si morse la lingua, perché il commissario lo guardò e fece spallucce. Perciò si affrettò ad aggiungere:

«Guardi che oggi c'è l'andouillette...».

Per Lina e Alvaredo, di andare a Bogotá non se ne parlava più. E chissà se, dopo l'udienza della mattina, i rapporti fra di loro sarebbero stati ancora gli stessi.

Il caso Nahour era di nuovo in prima pagina. Sulla stampa della sera, si parlava già di *ménage à quatre*.

Forse, chissà, in assenza del nuovo movente, su cui il pubblico ministero basò la requisitoria, la giuria avrebbe votato per l'assoluzione.

L'arma non era stata rinvenuta, e l'accusa poggiava unicamente su testimonianze più o meno interessate.

L'indomani sera Fouad Ouéni veniva condannato a dieci anni di reclusione mentre, lasciando il tribunale da una porta secondaria, Lina e Alvaredo salivano sull'Alfa Romeo e si allontanavano verso una meta ignota.

Maigret non ne seppe mai più niente.

«Non ce l'ho fatta» avrebbe confessato a Pardon il martedì successivo, mentre si trovava a cena da lui.

«Chissà, forse se quella notte non le avessi telefonato...».

«Gli eventi avrebbero comunque seguito il loro corso, anche se con un po' di ritardo...» rispose il

commissario. Poi, allungando la mano verso il bic-
chiere di acquavite di Borgogna:

«In fondo, ha vinto Ouéni...».

Épalinges, (Vaud), 8 febbraio 1966

FINITO DI STAMPARE NELL'APRILE 2012
DA GRUPPO POZZONI

Printed in Italy

GLI ADELPHI

Le inchieste di Maigret